잇스토리 영상화 기획 단편소설 시리즈_002

주성민 작가

1988년생으로 울산에서 태어나 아들 둘을 낳아
키우는 평범한 가장이다.
아이들을 재우고 소리죽여 타자를 두드리며 완성한
소설이 '호랑이 부름' 이다.

호랑이 부름

ⓒ주성민

창작공간 잇스토리

<차 　 례>

1. 호환　　　　　　　　　　　　011

2. 사냥꾼　　　　　　　　　　　017

3. 매화나무가 있는 집　　　　022

4. 호식총　　　　　　　　　　028

5. 창귀　　　　　　　　　　　036

6. 지아비　　　　　　　　　　040

7. 박수무당　　　　　　　　　050

8. 제물　　　　　　　　　　　054

9. 협박　　　　　　　　　　　062

10. 호탈굿　　　　　　　　　067

11. 매실　　　　　　　　　　072

12. 도망　　　　　　　　　　077

13. 심마니　　　　　　　　　079

14. 제물2　　　　　　　　　088

15. 창귀의 정체　　　　　　094

16. 탈출　　　　　　　　　　101

17. 서태금　　　　　　　　　105

18. 분사　　　　　　　　　　111

19. 호식　　　　　　　　　　116

영조실록 39권에 따르면, 영조가 즉위한지 10년 째 되던 9월 30일의 일이다. 그러니까 1734년에 호환이 심해 팔도의 정계가 거의 없는 날이 없었다. 여름부터 가을까지 죽은 자가 총 140명이나 되었다.

호랑이가 사람을 잡아먹으면 호식이라 한다. 호식 당한 사람은 창귀가 되어 호랑이에게 영혼이 붙들리는데, 이를 벗어나려면 다리 놓기로 새로운 사람을 호랑이에게 바쳐야 한다. 이로 인해 호식을 당한 사람의 사돈의 팔촌뿐만 아니라 이웃사촌, 친구 등 아는 사람이면 누구나 찾아다니며 불러내 범에게 잡아먹히게 만든다. 예부터 범에게 물려간 집안하고는 사돈을 맺지 않는다고 했는데 바로 창귀에게 홀려 호랑이에게 잡혀가길 두려워하기 때문이다. 그리고 호랑이는 사람을 잡아먹고 그 일부를 남기는데 그 시체가 발견된 곳에는 돌을 쌓아 호식총 이라는 돌무덤을 만든다. 그 곳에는 아무도 찾아가지도 않고 제사도 지내지 않는다고 알려져 있다.

1. 호환

 밤새 마을 사람들을 공포에 떨게 만들었던 호랑이 소리가 사라졌다. 날이 밝자 어제 낮에만 해도 평화롭고 조용했던 마을이 시끄러워졌다.

 "어제 호랑이 소리 들었는가? 마을에 무슨 사단이 난 것이 분명한데 누구 집에 사라진 사람 없는가?"

 마을 주민 중 한명이 외치자 너도나도 집집마다 돌아다니며 밤새 봉변을 당한 집이 어디인가 찾아다닌다. 그때 한 청년이 집밖으로 나와 통곡하며 외쳤다.

 "아이고 아버지! 우리 집에 아버지가 없어졌어요."

 외침을 들은 마을사람들이 동네 외곽의 한 초가집에 모여들었다. 이 초가집은 마을과는 조금 떨어진 외진 곳이 있는데 부자 둘이서 살았다. 마을사람들의 표정은 순간 풀어졌지만 청년 앞에 서니 다시 걱정스러운 얼굴을 했다. 마을에 살던 나이가 지긋한 한 노인이 나서서 청년에게 말했다.

 "자네 아버지가 사라진 것이 확실한가?"

"예, 어르신. 자고 일어났더니 옆자리에 아버지가 안 계셔서 나가보니 집 마당에 핏자국이랑 호랑이 발자국이 있었습니다."

"아이고. 큰일 났구먼. 자네 아비가 창귀가 되어서 마을 사람들을 다 꾀어 호랑이 아가리에 우릴 다 밀어 넣게 생겼어!"

노인의 말을 들은 마을사람들이 저마다 웅성거려 시끄러워졌다. 점점 사람들의 언성으로 시끄러워지자 노인이 큰 소리로 말을 했다.

"자자 다들 조용히 하게. 예로부터 호랑이에게 먹힌 사람은 창귀가 되는데 이는 호랑이에게 영혼이 붙들려 호랑이의 노예가 된다 이 말이야. 그래서 호랑이한테 벗어나려면 다리 놓기로 다른 사람을 호랑이에게 바쳐야해. 그것이 가까운 사람부터 다리를 놓기 때문에 범에게 물려간 집안하고는 상종을 안해야 살 수 있어."

노인을 말을 들은 마을 사람들은 역병이라도 만난 듯 그 집에서 한두 발씩 떨어져 섰다. 그리고 다시 웅성거리며 청년과 노인을 흘끗 쳐다보며 저마다 말을 하기 시작했다. 그때 누군가가 청년에게 외쳤다.

"이보게. 자네. 이 마을에서 나가면 안 되겠나? 어르신 말씀대로 라면 자네 아비가 자네를 먼저 찾아올게 아닌가? 어서 도망 가는게 어떤가."

청년은 자신에게 말을 한 남성을 쳐다보며 쓴 웃음을 지었다. 자기를 걱정하는 듯 말했지만 자신에게 피해가 갈까 두려하는 속내가 다 보였기 때문이다. 그리고 중년남자의 말에 마을사람들이 하나 둘 동조하기 시작했다. 마을 사람들은 자신들끼리 속으로 청년을 쫓아낼 암묵적 동의를 마친 상태였다. 그때 노인이 나서서 마을 사람들을 진정시키며 말했다.

"자자 진정들 하게. 지금 마을에 호환이 났는데 동네 사람들끼리 뭉쳐야지 이게 뭐하는 건가."

"아니 어르신 그럼 무슨 방도라도 있습니까?"

"어르신. 저 청년이 어서 도망을 가야 살지 않겠습니까."

노인의 호통에도 이미 두려움에 홀려버린 사람들의 이성은 쉽게 돌아오지 않았다. 그 모습을 본 노인은 한숨을 쉬며 다시 입을 열었다.

"아니 이 사람들아. 방법이 없진 않아!"

노인의 말을 들은 사람들은 저마다의 웅성거림을 잠시 멈추었다. 그리곤 금세 더 큰 웅성거림이 시작되었다. 그리고 노인의 다음 말을 기다리지 못 한 성격 급한 남성이 다시 말을 했다.

"아이고 방법이 있으면 빨리 말씀을 해 주셨어야죠. 그래서 그 방법이 무엇입니까?"

"그것이 창귀를 벗어나는 방법이 하나 있지. 호랑이에게 물려간 사람의 장손이 호랑이를 잡아 그 심장을 씹어 복수를 하면 창귀를 해방 시킬 수 있다네."

노인의 말을 들은 사람들은 일제히 청년에게로 시선이 쏠렸다. 사람들의 시선을 받은 청년은 난처한 표정을 지었다. 하지만 다시 굳은 표정으로 노인에게 말했다.

"어르신 말씀은 제가 호랑이를 잡으러 가야 한다는 말입니까?"

"그래 자네가 호랑이를 잡아 아비의 복수를 해야 하지 않겠는가."

"하지만 어르신 그저 농사만 짓던 제가 어찌 범을 잡는단 말입니까?"

"허허 자네가 호랑이를 잡지 않으면 자네는 물론이고 이 마을사람들 까지 다 죽을걸세."

대화를 듣던 마을 사람들은 노인의 말에 동조하며 청

년에게 호랑이를 잡으러 갈 것을 종용하기 시작했다. 이에 청년의 표정이 어두워지며 잠시 침묵을 지키다 입을 열었다.

"제가 혼자는 무리지만 여러 사람이 도와준다면 어찌되지 않겠습니까? 저를 도와주시면 제가 은혜를 꼭 갚겠습니다."

청년이 말을 하며 마을 사람들을 돌아보았다. 하지만 사람들은 시선을 돌리며 청년의 눈을 피했다. 이를 본 청년의 얼굴은 싸늘해졌다.

"제가 범을 잡는 걸 실패하면 당신들도 무사하지 못할 것입니다."

청년은 도와주려는 사람들이 없자 협박으로 동조를 얻으려 했다. 하지만 사람들은 호랑이에 대한 두려움으로 청년의 말은 이미 귀에 들리지 않았다. 그리고 청년을 쫓아내듯 호랑이 사냥을 떠나라고 떠밀었다.

"자네 아비가 새벽에 물려갔으니 호랑이는 멀리 가지 못했을 게야. 얼른 낮이라도 한 자루 들고 쫓아가게."

"부디 복수를 완성하고 무사하길 빌겠네."

저마다 마음에도 없는 말을 하며 조금이라도 머물면 저주라도 받는 듯 서둘러 흩어져 사라졌다. 이를 본 청

년은 얼굴에 조소를 머금고는 멀어져 가는 사람들의
뒷모습을 바라보았다.

2. 사냥꾼

 아직 해가 높이 떠 있는 낮이었지만 산 속은 빼곡히 서있는 나무들로 어두웠다. 그 산 속을 낫 한 자루를 손에 쥔 한 청년이 오르고 있었다. 한참을 산을 오르던 청년은 비교적 평평한 공터에 한 나그네가 모닥불을 지피고 있는 곳에 도착했다. 나그네는 모닥불 근처에 짐을 풀고 앉아 있다 청년이 나오는 곳의 소리를 듣고 재빨리 옆에 세워두었던 조총을 겨누었다. 그리곤 사람인 것을 보고는 슬며시 총의 입구를 아래로 내리면서 말을 걸었다.

 "이런 산 속에 웬 젊은 청년이 혼자 오르는 겐가. 게다가 손의 낫은 무엇에 쓰려고? 행색을 보아하니 심마니는 아닌 것 같은데."

 청년은 나그네의 재빠른 몸놀림과 손에 들린 조총을 보며 놀라 긴장한 표정으로 가만히 나그네를 쳐다보며 대꾸했다.

 "이런 곳에 사람이 있을 줄은 몰랐습니다. 혹시 이 산에 호랑이가 나온다는 소문은 못 들었습니까 나리."

"잘 알고 있다네. 사실 그 범이 나온다는 소문 때문에
이 산에 왔지. 헌데 범이 나온다는 이 산에 자네는 무
슨 이유로 올라왔는가?"

모닥불 앞에 있는 나그네의 얼굴에 의문스러운 표정
이 떠올랐다. 그리곤 청년에게 가까이 오라는 손짓을
하며 모닥불 옆에 앉을 자리를 마련해 주었다. 그러자
청년은 모닥불 옆으로 다가와 앉으며 사내에게 다시
말을 했다.

"사실 저는 이 산 아래에 있는 마을에서 왔습니다. 어
제 새벽에 제 아비가 호랑이에게 물려가서 복수를 하
려 범을 쫓아 여기까지 왔습니다."

청년의 말을 들은 사내는 깜짝 놀란 표정을 지으며
쳐다보았다. 그리고 어이가 없다는 듯 고개를 가로저으
며 한숨을 쉬며 말했다.

"허허 그것 참 딱한 일이네. 헌데 자네 혼자 낫 한
자루 들고 범에게 덤벼드는 것은 어리석은 행동이야.
위험한 일이네. 당장 마을로 내려가게."

"그럴 수는 없습니다 나리. 지금 마을에서는 제 아비
가 창귀가 되어 마을에 화를 부를까 절 내쫓듯 산으로

보냈습니다. 그러니 제가 어찌 다시 마을로 돌아가겠습니까."

"참으로 어리석은 자들이구나! 창귀라는 것이 어디에 있다고 이 난리를 피우는 건지. 쯧쯧."

나그네가 인상을 찌푸리며 혀를 찼다. 청년은 그런 나그네의 모습을 묘하게 바라보며 앉은 자세를 고쳐 나그네에게 무릎을 꿇으며 빌었다.

"나리 제발 절 불쌍히 여기시어 도움을 좀 주십시오. 호랑이에 대해 많이 아시는 것 같은데 어찌하면 좋겠습니까 나리."

청년이 갑자기 무릎을 꿇고 빌기 시작하자 나그네는 난처한 표정으로 쳐다보았다. 그런 청년을 가만히 보며 생각에 빠진 나그네가 한참을 침묵하다 다시 말했다.

"그래 어차피 나도 범을 사냥하며 다니는 몸이니 딱한 자네의 손을 돕는데 힘을 써보겠네. 하지만 이렇게 우리 둘이선 범을 잡을 수 없어. 일단 마을로 내려가세."

"감사합니다 나리 제가 이 은혜는 꼭 갚겠습니다. 정말 감사합니다."

대화를 마친 둘은 서둘러 주변을 정리하기 시작했다.

모닥불을 흩트려 불을 끄고 짐들을 정리해 봇짐에 둘러맸다. 주변 정리가 끝나자 청년이 왔던 방향으로 몸을 틀어 산을 내려갔다. 사람이 남아있던 흔적만 남은 공터에는 해가 넘어가 어스름한 빛이 비출 뿐이었다.

어둠이 내려온 마을 입구에 건장한 체격의 나그네와 그보단 작지만 평범한 체격의 청년이 들어섰다. 그들이 지나간 마을 입구의 길옆에는 작아서 발견하기 힘들 것 같은 돌에 화전촌 이라는 글자가 새겨져 있었다.

"그러고 보니 우리 서로 이름이 뭔지 묻질 않았군. 나는 이정방 이라고 하네. 예전엔 군인 이었지만 지금은 그저 떠돌이 사냥꾼일세."

"저는 서태금 이라고 합니다. 아버지와 둘이서 마을에서 농사일을 하던 그저 평범한 농민 이었지요. 앞으로는 제가 다시 평범한 농민으로 돌아 갈 수는 없지만 말입니다 나리."

"너무 걱정하지는 말게. 자네 아비 일은 참으로 안됐지만 내가 자네가 다시 일상으로 돌아 갈 수 있게 도와주겠네."

이정방이 서태금의 어깨를 몇 번 다독이며 앞으로 나아갔다. 그 모습을 가만히 보던 서태금이 이정방을 따라가며 다시 말을 붙였다.

"헌데 나리는 무슨 일로 이 강원도 깊은 산골까지 오신 겁니까? 아까 산 속에서 나리를 봤을 때 정말 놀랐습니다."

"사냥꾼이 짐승을 쫓아 온 게지 무슨 이유가 있겠는가. 그저 발길이 닿는 데로 오다 보니 여기까지 왔네."

"나리는 정말 용맹하신가 봅니다. 호랑이가 무섭지 않으십니까?"

"하하하. 범이야 조심만 하면 별거 아니네 조총이 없었을 땐 사냥이 어려웠지만 조총이 들어온 이후엔 범도 한낱 짐승일 뿐일세."

"나리가 그리 말씀하시니 제가 정말 안심이 됩니다. 솔직히 제 아버지의 복수를 어찌하나 막막했는데 하늘이 그리 무심하지는 않은가 봅니다. 다시 한 번 감사드립니다 나리. 제가 이 은혜는 꼭 갚겠습니다."

"자넬 돕는거긴 하지만 범은 돈을 많이 주는 사냥감이네. 너무 고마워하진 말게나 내가 돈을 벌려는 목적도 크니 말이야."

3. 매화나무가 있는 집

산을 내려온 두 사람은 마을을 가로질러 걸어갔다. 그
모습을 마을 사람 몇몇이 집 밖으로 나와 의아한 눈빛
으로 쳐다보았다. 그리고 두 사내의 얼굴을 확인하고는
한 방향으로 후다닥 뛰어갔다. 마을은 규모가 크지 않
아 몇 마디 대화를 주고받던 두 사람은 금세 서태금이
살고 있는 집에 도착했다.

서태금의 집은 방 두 칸에 부엌이 딸려있고 작은 마
당 한 쪽엔 작은 매화나무가 심어져 있어 집 안에 들
어서자 매화향이 코끝을 스쳤다. 그리고 마당엔 검게
마른 핏자국과 나뭇가지들을 엮어 만든 담이 일부 쓰
러져 있었다. 저녁이 되어서 집에 도착한 서태금은 아
궁이에 불을 붙이고 횃불을 만들어 마당으로 들고 나
왔다. 이정방은 집 마루에 걸터앉아 마당을 둘러보다
서태금이 들고 있던 횃불을 받아들어 핏자국이 있는
곳으로 걸어가 쪼그려 앉아 주위를 살피기 시작했다.

"여기에서 범의 습격을 받았나 보군. 혹시 자네 새벽

에 무슨 소리는 못 들었나?"

"밤새 범의 울음소리와 으르렁 거리는 소리를 들었습니다. 그 소리에 이불을 뒤집어쓰고 벌벌 떨고만 있었습니다 나리."

"밤새 범의 소리가 들렸다? 헌데 자네 아비는 그 소리를 듣지 못했던 것인가? 어째서 범의 소리가 나는데도 밖으로 나와서 이런 변고를 당했단 말인가."

"그것이 저도 잘 모르겠습니다 나리. 제 아버지는 옆에 방에서 주무셨던 터라 왜 밖으로 나간 것인지는 모르겠습니다."

"그것 참 이상하군. 자네 아비가 혹시 귀가 어두운 편은 아니었나?"

"아닙니다 나리. 제 아버지는 아프신 곳 없이 아주 건강했습니다."

그 둘이 대화를 하고 있을 때 서태금의 집 밖으로 사람들이 모여들기 시작했다. 그 모습은 아침에 사람들이 모였던 모습과 아주 비슷했다. 다른 것이라곤 지금은 어두워진 배경을 밝히기 위해 몇몇은 불을 들고 있다는 것. 그리고 아침과 마찬가지로 노인이 앞으로 나서서 말을 했다.

"그래 자네 호랑이는 잡고 돌아온 것인가?"

"아닙니다 어르신. 밤이 너무 늦어 산을 내려 왔습니다."

"허허 하루라도 빨리 자네 아비의 복수를 해야 자네가 살고 이 마을이 사네."

"알겠습니다 어르신. 내일 날이 밝는 데로 다시 범을 쫓아 가겠습니다."

"그래 알겠네. 헌데 자네 옆에 사내는 누구인가?"

"오늘 산에서 만난 사냥꾼입니다. 호랑이를 잡는데 도와 주신다기에 제 집까지 모셨습니다."

"산에서 만났다고 했나? 산에서 만난 외지인을 그리 쉽게 믿으면 안되네 저 사냥꾼이 창귀면 어쩌려고 그러나!"

노인의 호통에 마을 사람들과 서태금이 놀란 눈으로 이정방과 노인을 쳐다보았다. 이정방은 노인의 말과 마을 사람들의 눈빛에 얼굴을 찌푸렸다. 그리고 노인을 향해 몸을 돌려 노인에게 말 했다.

"어르신 저는 지나가던 사냥꾼 입니다. 저는 그저 이 청년을 도와 범을 잡으려는 것뿐입니다. 외지인 이라 경계하는 것은 이해합니다만 그래도 손님을 이리 대접

하는 곳은 처음 입니다."

이정방이 노인을 향해 불쾌감을 숨기지 않았다. 이정방의 행동에 노인을 따르던 사람들이 앞으로 나서 화를 내려 했다. 하지만 그때 노인이 손을 들어 제지 하며 말했다.

"허허 자네가 좀 이해하게. 아시다시피 이 마을에 호환이 나서 말일세. 호랑이한테 잡아먹힌 사람이 나온 마을은 창귀를 무서워 할 수밖에 없다네."

"아까부터 창귀라고 하시는데 세상에 그런 것이 어디에 있습니까?"

"자네 사냥꾼이라는 사람이 창귀를 믿지 않는다? 그것 참 의심스럽군 사냥꾼이면 창귀를 몇 번 봤을 텐데?"

"아 그렇습니까? 저는 그런 미신은 믿지 않습니다. 이 세상에 귀신이라니요 저는 그런 것은 없다고 생각하는 사람입니다. 실제로 한 번도 본 적도 없고 말입니다."

"허허 창귀를 믿지 않는 사냥꾼이라. 그래 그것을 믿던 믿지 않던 그것은 자네 의지겠지. 하지만 두고 보면 자네도 알게 될 것이야."

"창귀던 무엇 이던 제가 범을 잡으면 다 해결 될 문제 아닙니까. 그 범은 제가 일주일 내로 잡을 터이니 너무 걱정 마십시오."

"그래 그렇게 되기만 한다면 우리 마을에서 자네에게 뭔들 못 해주겠나. 부디 꼭 호랑이를 잡으시게."

노인은 이정방의 호기로운 장담을 약간 비꼬듯이 대답했다. 그리고 몸을 돌려 자신의 뒤쪽에 모여 있던 마을 사람들을 향해 입을 열었다.

"자자 오늘은 밤이 늦었으니 다들 집에 가서 잠이나 자세. 그리고 이 사냥꾼이 호랑이를 잡는다고 호언장단을 하니 앞으로 두고 보면 알게 되겠지. 우리 마을이 살게 될지 죽을지 말일세. 그럼 난 이만 가네."

노인은 말을 마치고 뒤도 돌아보지 않고 자신의 집으로 발길을 향했다. 노인이 돌아간 후에는 마을 사람들도 하나 둘 돌아갔다. 사람들이 돌아가는 모습을 지켜보던 이정방은 서태금을 향해 몸을 돌리며 말을 했다.

"저 노인은 누군데 이 마을 사람들이 저리 따르는 겐가?"

"아 저 어르신은 박필부라는 어르신인데. 듣기로는 소싯적에 현감까지 지냈던 양반이라고 들었습니다. 지금은 저희 마을에서 사람들이 제일 따르는 어른이지요."

"현감까지 지냈던 양반이 저리 바보 같은 헛소리를 하는가? 귀신이라니?"

"사실 저도 이 마을에 온지 그리 오래되진 않아서 어떤 사람인지는 잘 모르겠습니다 나리."

"그래 알겠네. 우리도 이만 밤이 늦었으니 들어가세."

마당을 지나 집 안으로 들어가는 서태금과 이정방의 머리 위로는 푸른 달빛이 비추고 있었다.

4. 호식총

 다음날 아침 일찍부터 부산스럽게 산에 올라갈 채비
를 마친 이정방과 서태금은 산을 향해 걸어갔다. 한참
을 산 속을 이리저리 살피며 이동하던 두 사람은 한
나무 앞에서 멈췄다. 나무를 살피던 이정방이 자신의
뒤에 서 있던 서태금에게 말했다.
 "이상해. 아무리 봐도 마을 근처 산에는 범의 흔적이
보이질 않네."
 "그게 무슨 말씀입니까. 이 산에 분명이 있습니다. 좀
더 깊은 곳 까지 가 보시는 것이 어떻겠습니까 나리."
 "그래 조금 더 가보도록 하지."
 두 사람은 점점 더 산 속 깊은 곳까지 들어가기 시작
했다. 그렇게 한참을 더 산으로 들어간 두 사람은 빽빽
이 들어 선 나무들을 지나 비교적 평평한 공터를 발견
했다. 그 공터에는 언뜻 보기에도 열개가 넘는 돌무덤
이 불규칙 하게 늘어서 있었다. 그 중에는 돌의 일부가
무너져 원래의 형태를 잃어버린 한 돌무덤이 있었다.

그 모습을 둘러보던 이정방이 서태금에게 물었다.

"여기에 무슨 돌무덤들이 이렇게 많이 있는 겐가."

"나리 너무 깊은 곳까지 들어온 모양입니다. 여기는 호식총 이라는 무덤이 있는 곳입니다."

"호식총이라? 그게 무엇인가."

"호식총은 호랑에게 먹힌 자들의 무덤입니다. 호랑이는 사람을 잡아먹고 그 머리와 신체의 일부를 남겨두는데 그 시체를 발견하면 사람이 화장을 하고 그곳에다 돌무덤을 쌓습니다. 그리고 이 무덤은 아무도 찾아오지 않지요. 나리께서는 창귀를 믿지 않으시겠지만 창귀를 두려워 한 사람들이 창귀를 가두는 의미로 이렇게 한다고 들었습니다. 그리고 여기가 호랑이가 사람을 먹는 호식터 인거 같습니다. 저도 예전에 듣기만 했었지 실제로 이런 곳이 있는지는 처음 알았습니다."

"그럼 여기가 범의 서식지와 가깝다는 뜻이겠군. 잘 되었네. 이 근처에다 범을 잡기 위한 함정을 설치하지."

말을 마친 이정방은 공터 주위를 살피다 범이 다닐 법한 곳에다 함정을 설치하기 시작했다. 그 모습을 뒤에서 물끄러미 쳐다보던 서태금은 곧 이정방의 곁으로 다가가 그를 돕기 시작했다.

"나리 제가 뭘 좀 도우면 되겠습니까?"

"지금 벼락틀 이라는 함정을 설치할거니 일단 튼튼한 나무를 좀 구해다주게."

"알겠습니다 나리."

서태금은 곧장 공터 주위에 쓸 만한 크기의 나무를 톱으로 자르기 시작했다. 그렇게 이정방은 서태금이 구해다 준 나무를 뗏목처럼 만들었다. 그리고 그 뗏목을 한쪽에 기둥을 세워 비스듬하게 세운 다음 기둥이 쉽게 무너지게 장치를 만들어 설치했다.

"자 이제 이 위에다 돌을 올리면 다 끝나네. 여기에 돌이 많이 있어서 금방 끝나겠군."

"나리 설마 여기 돌무덤의 돌을 쓰실 생각이신지요?"

"하하 내가 아무리 창귀를 믿지 않아도 사람의 도리 는 안다네. 그래도 무덤인데 저 돌들을 쓰겠나? 주위에 떨어진 돌이나 흩어져 있는 돌들을 주워다 주게. 나는 반대쪽의 돌을 주워다 오겠네."

"알겠습니다 나리. 전 저쪽에 무너진 돌무덤의 돌들을 주워 오겠습니다."

돌을 줍기 위해 흩어진 두 사람은 한참을 돌을 주워

벼락틀 위에 쌓았다. 그렇게 호랑이를 잡기 위해 공터 주위에 몇 개의 벼락틀을 더 설치를 마치자 산에는 붉은 노을이 내리기 시작했다.

"이런 서두른다고 서둘렀는데 벌써 어두워지겠군. 어서 마을로 내려가세."

생각보다 늦어진 시각에 작업을 마친 이정방은 주위가 어두워지자 서둘러 짐을 챙겨 올라왔던 길을 다시 내려가기 시작했다. 그렇게 두 사람은 걸음을 재촉하며 산을 내려갔지만 해가 기우는 속도는 따라잡지 못 하고 산에는 어둠이 내려앉았다.

"안되겠어. 어두운 산 속을 헤매는 것은 위험하네. 우리 여기 근처에서 밤을 지내고 내려가세."

말을 마친 이정방은 노숙하기 적당한 곳을 찾아 그곳에 짐을 풀고 나뭇가지를 모아 능숙하게 불을 지폈다. 그리고 모닥불 근처에 짐을 풀고 눕기 좋게 자리를 만들었다.

"자네도 여기 옆에다 자리를 정리하게 오늘 여기서 자고 내려 갈 테니."

"예 나리. 나리는 이런 일이 매우 능숙하시군요. 호랑이 사냥을 많이 해보셨나 봅니다."

"많이 해봤지. 지금은 조총 이라는 것이 생겨서 범 사냥이 많이 쉬워졌지. 그리고 범을 잡으면 그 범의 시체로 많은 돈을 벌 수 있게 되니 사냥꾼들이 범을 많이 잡으러 다니게 되었고. 그래서 나라에서 범을 잡는 군인이 더 이상 필요하지 않게 되었다네."

이정방의 표정에 쓸쓸함이 퍼져나갔다. 그렇게 생각에 빠져 잠시 침묵하는 이정방을 서태금은 조용히 쳐다보며 말을 걸지 않았다. 고요한 밤의 산 속에서 나무가 타는 소리만 작게 들릴 뿐이었다. 한참을 침묵하던 두 사람은 갑자기 들린 소음으로 인해 고개를 들어 경계를 하기 시작했다.

"이게 무슨 소리입니까 나리."

"아마 산짐승이 내는 소리 같네만. 범의 소리는 아닌 것 같아."

"나리. 소리가 점점 가까워지는 것 같습니다."

"이상하군 자세히 들어보니 소리가 사람 발소리 인 것 같은데. 이런 야심한 시간에 산에 우리 말고 다른 사람이 있다니. 혹여 이 근처에 산적이 출몰한다는 소리가 있었는가?"

"아닙니다 나리. 여기는 호랑이 때문에 산을 지나는

사람도 많이 없습니다."

이정방은 서태금에게 조용히 하라는 손짓을 한 뒤 옆에 내려놓았던 조총을 조심스럽게 들었다. 그리고 소리가 난 쪽으로 총을 겨눈 채 가만히 대기했다. 그렇게 가까워지던 발소리는 이정방이 총을 겨눈 순간 다시 멀어지기 시작했다.

"아무래도 내가 작은 산짐승 소리를 잘못 들었나 보군. 이제 경계를 풀고 쉬게나. 밤새 내가 불침번을 서고 있을 테니 자네는 아침이 올 때까지 눈 좀 붙이게."

"저도 불침번을 서겠습니다. 나리도 좀 쉬어야 하지 않겠습니까."

"그래 내가 먼저 불침번을 서고 있을 테니 자네는 좀 자고 있게. 나중에 깨우면 그때 자네가 불침번을 서고"

"알겠습니다 나리. 나리 혹시 저에게도 그 조총을 쓰는 법을 알려주시지 않겠습니까?"

"하하 나중에 알려 주겠네 당장은 알려줘도 금방 배우진 못 할게야. 그러니 오늘은 그만 잠에 들게나."

"제 일을 이리 도움을 주시는데 제가 아무런 도움을 못 드려 송구 합니다 나리."

"너무 신경 쓰지 말게. 어차피 나도 범을 잡아 돈을

벌려는 목적이니."

"그래도 감사합니다. 나리. 제가 이 일은 꼭 잊지 않
겠습니다."

"어서 잠자리에 들게나. 내일 아침 일찍 마을로 내려
가면서 함정을 더 설치할거니."

서태금은 이정방의 말을 듣고 모닥불 근처에 몸을 뉘
었다. 이정방은 잠이 든 서태금을 바라보며 작은 천을
꺼내 조총을 닦기 시작했다.

해가 떠오르기 직전 어스름한 빛을 내고 있을 때 불
침번을 교대해 서고 있던 서태금이 이정방을 가만히
바로 보고 있다 그를 깨우기 위해 다가서 어깨에 손을
올렸다. 서태금이 이정방을 몇 번 흔들었지만 깊은 잠
에 빠져 있었는지 쉽게 일어나지 못 했다. 이번엔 좀
더 힘을 주어 힘껏 이정방을 흔들자 깜짝 놀란 이정방
이 화들짝 잠에서 깨어났다. 그리고 잠이 덜 깬 얼굴로
서태금을 보며 말했다.

"벌써 아침인가. 내 어제 좀 피곤했나 보군. 그래 밤
에 별 일은 없었는가?"

"예 나리. 간밤에 무슨 일 없이 평온했습니다."

"그랬다니 다행이네. 잠결에 기억은 안 나네만. 자네

가 잠시 안 보였던 것 같았는데."

"아 소변이 마려워서 잠시 자릴 비우긴 했었습니다."

"그랬었나? 그래 이제 마을로 내려가세."

"예 나리 제 짐은 정리를 다 해두었습니다."

 이정방은 자리를 정리하고 짐을 챙긴 뒤 두 사람은 산 아래로 내려가기 시작했다. 마른 낙엽을 밟으며 산을 내려가는 두 사람의 머리 위로 조용히 해가 떠오르고 있었다.

5. 창귀

　서태금과 이정방이 산 속에서 야영을 하고 있을 새벽에 마을 어귀의 한 집에서는 젊은 부부가 잠자리에 들어 있었다. 잠을 자던 부인은 밖에서 들리는 낯선 소음에 잠에서 깨어나 눈을 떴다. 가만히 자신을 깨운 소리를 듣고 있던 부인은 남편을 깨워 밖의 소리에 대해 말했다.

　"여보. 밖에서 무슨 소리가 들리지 않으세요?"

　"그러고 보니 소리가 들리는데. 사람이 말하는 소리 같은데?"

　"요즘 마을에 창귀가 돌아다닌다던데 그놈이 내는 소리 아니에요? 무서워요 여보."

　"가만 소리가 옆집 김씨 같은데? 내가 살짝 보고 오겠소."

　"아니. 나가지 마세요. 창귀면 어떡해요."

　그렇게 부부가 조용히 실랑이를 벌이고 있었다. 그러고 있는 사이 소리가 점점 가까워지더니 부부가 있는

방의 문 앞에서 소리가 났다.

"어이. 잠깐만 나와 봐~ 나랑 잠깐 이야기 좀 하자고."

문 앞에서 들리는 소리에 깜짝 놀란 부부는 순간 몸이 굳어버렸다. 하지만 곧 익숙한 옆집 이웃의 목소리라는 것을 알고는 긴장이 풀려 몸에 힘이 풀려버렸다. 그리고 남편이 자신의 팔을 잡고 있던 부인의 손을 살며시 내려놓으며 말했다.

"하하. 김씨 아저씨 목소리잖아. 내 잠깐 나가 볼 테니 여기 있으시오."

"여보. 나가지 마요. 김씨 아저씨가 이 시간에 우리 집에 왜 오겠어요."

"무슨 급한 일이라도 있나보오. 아님 도움이 필요할 수도 있고 말이야."

그렇게 부부가 옥신각신 할 때 밖에서 김씨의 소리가 한 번 더 남편을 불렀다.

"나와봐~. 나와서 잠깐 날 좀 도와주시게."

도움을 바라는 것 같은 말에 남편은 자신을 말리던 부인의 손을 잡아 내리며 말했다.

"뭔가 도움이 필요한가 보오. 내 나가 볼 테니 너무

걱정하지 마시오."

말을 한 남편은 일어나 옷매무새를 다듬고 문고리를 잡고 열었다. 남편이 문을 열고 나가며 김씨를 쳐다보기 위해 고개를 들었을 때 그만 너무 놀라 다리에 힘이 풀려 주저앉고 말았다. 그러자 김씨의 목소리를 내던 그것이 미소를 지으며 말했다.

"히히 나왔다. 날 도와주러 나왔구나~ 얼씨구 좋다 ~."

처음엔 김씨의 목소리처럼 굵고 낮았지만 그 뒤에는 점점 목소리의 굵기가 얇아지며 높아졌다. 그리곤 산발한 머리를 하고 고개를 약간 꺾은채 입이 눈 옆의 관자놀이 까지 올라가며 활짝 웃었다. 그 모습에 방에서 남편이 문 앞에 힘없이 앉아있는 모습을 보던 부인이 비명을 질렀다. 비명소리에 퍼뜩 정신을 차린 남편이 뒤를 돌아 방으로 들어가려 했지만 언제 나타났는지 호랑이가 나타나 남편을 산채로 물어 산으로 달리기 시작했다.

"히히히. 오늘 호랑이님에게 받치는 제물이로다~. 우리 장군님 기뻐하신다. 이히히히."

"아악. 안돼. 부인 날 좀 구해주시오. 사람 살려. 여보.

나 좀 살려주시게."

남편을 채간 호랑이의 소리와 창귀의 웃음소리 그리고 비명을 지르며 악을 쓰는 남편의 목소리가 빠른 속도로 사라졌다. 순식간에 일어난 일에 부인이 소리를 지르며 뛰쳐나왔다. 그리고 호랑이가 사라진 쪽으로 울부짖으며 달려갔다. 요란한 소리에 마을 사람들이 이 젊은 부부의 집에 모여들었지만 이미 호랑이에게 물려가 버린 남편과 남편을 구하려 쫓아가 비어버린 부부의 집에는 적막함이 맴돌 뿐이었다.

6. 지아비

　새벽에 마을에 일어난 일로 인해 사람들은 두려움에 떨었다. 두려움에 지배된 사람들은 생업을 내려놓은 채 환하게 해가 뜬 낮에도 집에 박혀 떨고만 있었다. 해가 중천에 떠올라 낮이 되었을 때 이정방과 서태금이 마을에 도착했다. 그들은 어제와 다른 마을의 분위기에 어리둥절했다. 곧 서태금의 집에서 휴식을 취하고 있을 때 노인 박필부가 나타났다. 박필부는 마당에 들어와 이정방과 서태금을 노려보고 있다가 말을 했다.

　"오늘 새벽에 결국 사단이 났네. 호랑이가 사람을 물어갔어. 자네들은 대체 무얼 하고 있었나!"

　박필부의 호통에 놀라 앉아있던 서태금이 일어나며 말 했다.

　"아니 어르신 그게 정말입니까? 호랑이가 또 나타났습니까?"

　"그래 이 사람아. 이 마을에 살던 젊은 부부가 호랑이한테 물려갔어! 이게 다 자네가 빨리 호랑이를 잡지 못

해서 일어난 일이네. 자네 어제 집에 안 들어 왔던데. 도대체 어디서 무얼 하고 있었나?"

박필부의 말에 옆에서 바라보고 있던 이정방이 일어나서 박필부를 향해 다가가 말했다.

"우리는 어제 산에 올라가 범의 서식지를 발견해서 거기에 함정을 설치하느라 늦어져 산에서 야영을 했소. 범이라는 것이 마음먹는다고 그리 빨리 잡을 수 있는 놈이 아니외다. 너무 재촉하지 마시오 노인장."

"허. 이리 태평한 소리를 하다니. 자네 지금 상황 파악이 안되는가. 두 사람이 호랑이에게 먹혔네. 이제 창귀가 더 늘어났다 이 말일세."

"창귀든 뭐든 범만 잡으면 되는 거 아닙니까. 창귀가 수십이 늘어도 무슨 범만 잡으면 그 창귀가 사라질 테니 걱정 말고 기다리기나 하시오."

이정방의 말에 박필부는 얼굴에 노기를 띠었다. 노기를 띤 얼굴로 잠시 이정방을 노려보다 소매를 떨치고 뒤로 돌아 서태금의 집을 빠져나갔다. 그 모습을 보던 이정방이 박필부를 비릿한 미소로 쳐다보다 서태금을 돌아보며 말했다.

"내 말은 이렇게 했지만 범이 이리 설치니 좀 서두르

긴 해야겠네. 조금만 쉬었다 다시 산으로 가 설치한 함
정들을 보러 가보세."

"예 알겠습니다 나리. 그럼 쉬고 계시지요. 저는 잠시
일 좀 보고 오겠습니다."

"그래 그럼 우리 점심때 여기서 다시 보도록 하지."

"알겠습니다 나리."

서태금이 말을 마치고 집을 벗어나기 시작하자 이정
방은 방 안으로 들어가 잠을 청했다. 그리고 점심때 서
태금이 집으로 돌아오자 두 사람은 다시 산을 향해 발
걸음을 옮겼다. 하지만 산으로 향하던 두 사람은 마을
에서 일어난 소란으로 인해 멈추어 섰다. 그리고 두 사
람은 그 소란이 일어난 곳으로 향했다. 그곳에는 마을
사람들이 한 사람을 둘러싸고 웅성거리고 있었다. 사람
들에게 둘러싸인 사람은 온 몸에 피를 흘리며 옷은 여
기저기 찢겨져 있었고 정신 나간 사람마냥 한 단어만
웅얼거리고 있었다. 그때 마을 사람 중 누군가 말을 했
다.

"저.. 저 사람 어제 호랑이에게 물려간 신혼부부의 남
편 아닌가."

"가만 그러고 보니 맞는 거 같아. 분명 남편이 물려가

고 새댁이 남편 구한다고 호랑이 뒤를 쫓아갔는데?"

마을사람들이 쉽게 다가가지 못 하고 그저 바라보며 웅성거리고 있었다. 그중 한 사내가 나서 그 피투성이 남자에게 말을 걸었다.

"이..이 보시오. 많이 다친 거 같은데 이게 어찌된 일이오? 당신 부인은 어디에 있소?"

"잡아먹힌다..먹힌다..잡아 먹혔다."

용기 있는 마을 사람이 피투성이 남성에게 말을 걸었지만 그는 그저 멍하니 같은 말만 반복할 뿐이었다. 그 모습에 공포를 느낀 사람들은 그저 다가가지 못 하고 어찌할 바를 모른 채 지켜보기만 할 뿐이었다. 그때 이정방과 서태금이 소란을 느끼고 인파를 헤치고 나왔다. 그 두 사람은 사람들 사이에서 피투성이의 남자가 쓰러져 있는 것을 보았다. 이정방은 곧장 그 사람에게 다가가 부축을 하며 사람들에게 소리쳤다.

"아니 여기 심하게 부상 입은 사람이 있는데 왜 다들 구경만 하고 게시오!"

이정방이 약간 화난 목소리로 외치고는 다친 남자를 보며 말했다.

"이보시오. 많이 다친 거 같은데 어서 의원에게 가봅

시다. 내 부축해 주겠소. 이봐 서태금 날 좀 도와주게."

 이정방이 남성을 부축하며 서태금을 찾아 도움을 청했다. 이에 사람들 사이에서 둘을 바라보던 서태금은 이정방이 잡은 남성의 반대쪽 팔을 잡아 부축을 했다. 피투성이 남성을 부축한 두 사람은 마을 의원이 있는 곳으로 몸을 옮기려 했다. 그때 박필부가 군중을 가르고 나타나 두 사람에게 말했다.

 "자네들 지금 그 사람을 데리고 어딜 가는겐가?"

 "보면 모르겠습니까. 다친 사람을 의원에게 데려가는 게 당연한 거 아닙니까?"

 "그건 나도 알고 있네. 다친 사람을 의원에게 데려가야지. 하지만 그건 사람에게 해당하는 말 아니겠는가?"

 "그건 또 무슨 소립니까? 지금 노인네 헛소리에 시간을 끌기엔 이 사람의 부상이 심각하니 나중에 하시오."

 "끌끌 자네 아직도 모르겠나! 그 사내는 어제 창귀에게 홀려서 호랑이한테 물려간 사람이야! 그런 사람이 어찌 살아 돌아 왔겠나? 저놈은 창귀네 여기 마을사람들을 홀리려고 내려온 창귀란 말일세!"

 "아니. 그놈의 창귀. 이러다 모든 사람들을 창귀라고 하시겠소. 창귀가 뭐가 그리 두려운 게요. 지금 한시가 급하니 좀 비켜주시오 사람을 살려야 하지 않겠소."

"아니 그놈은 창귀래도! 쯔쯧. 그럼 일단 서태금의 집으로 데려가게 내 마을의 의원을 그리 데려가지."

말을 마친 박필부는 뒤도 돌아보지 않고 걸음을 재촉해 사라졌다. 이에 이정방은 박필부와 말싸움을 길게 이어 질 것이라 예상했지만 금방 사라지자 예상하지 못 함에 잠시 어리둥절했다. 하지만 곧 정신을 차리고 서둘러 환자를 서태금의 집으로 데리고 갔다. 한편 박필부는 자신을 따르던 한 몸종에게 무언가 지시를 했다.

"너는 어서 아랫마을에 가서 박수무당을 좀 데려오게. 한시가 급하니 서둘러야하네."

"예 알겠습니다. 나리."

박필부의 명을 들은 종은 아랫마을로 발걸음을 재촉하며 뛰어가기 시작했다. 박필부는 그 모습을 가만히 바라보다 이내 몸을 돌려 집으로 향했다.

서태금의 집에 도착한 일행들은 피를 흘리던 사내를 방에 눕히고 물을 떠와 옷을 벗기고 피를 닦았다. 가만히 피를 닦던 이정방이 조용히 입을 열었다.

"이 사내 범에게 물려갔다더니 다행히 큰 상처는 없

- 45 -

는 것 같군."

"하지만 나리 이리 피가 많은데 큰 상처가 없다니
요?"

"이 피는 이 자의 것이 아니라 다른 사람의 피인 것
같네. 그리고 이 정도 피를 흘렸다면 그 피의 주인은
아마 무사하지 못했겠지. 이 사내가 범에게 물려갔을
때 따라간 이 사람의 아내일지도."

"어쩌다 호랑이에게 물려간 자는 살고 구하러 따라간
이가 대신 호랑이에게 먹혔을까요?"

"그건 이 사람이 정신을 차리면 물어봐야지. 다행히
크게 다치진 않았어. 내 군에서 간단한 응급처치 정도
는 배웠으니 의원이 오기 전에 내가 잠시 상처를 돌봐
야겠네. 자네는 따뜻한 물과 깨끗한 천을 좀 구해다 주
게."

"알겠습니다. 나리. 금방 구해오겠습니다."

서태금이 방을 나가자 방에는 고요한 적막이 찾아왔
다. 잠시 후 기절한 사내는 정신이 들었는지 입을 달싹
이며 조용히 무언가를 속삭였다. 이를 보고 있던 이정
방이 사내의 입 가까이에 귀를 가져다 대며 말했다.

"정신이 좀 드십니까. 무어라 하실 말이 있는 겁니

까?"

"호..호랑이가 온다. 호랑이가."

"여기는 안전한 곳이니 너무 걱정하지 마십시오. 무슨 일이 있었던 겁니까?"

"호랑이가 내 아내를 잡아먹었소. 내 아내를 제가 보는 앞에서 잡아먹었단 말이오. 끄윽."

 정신을 차린 사내가 새벽에 있었던 일을 기억하며 고통과 슬픔에 목이 막히며 울기 시작했다. 이정방은 이를 가만히 지켜만 보고 있을 수밖에 없었다. 한참을 그리 통곡하던 사내가 이내 조금 진정이 되었는지 잠잠해 지기 시작했다. 사내가 좀 진정이 될 때 까지 지켜보던 이정방은 사내의 눈물이 잠시 멈추었을 때 다시 조심스레 말을 걸었다.

"범에게 물려가고 무슨 일이 있었던 겁니까?"

"호랑이에게 물려가 이제 죽었구나 싶었습니다. 그런데 집사람이 절 쫓아와서 악다구니를 쓰니 호랑이가 저를 산에 내팽개치더니 제 아내를 공격했습니다. 그리고는 그 자리에서 잡아먹는데 전 그게 너무 무서워서 뒤도 돌아보지 않고 도망쳤습니다. 제가 아내를 버린 겁니다. 끄윽."

다시 울기 시작하는 사내를 이정방은 어떤 위로도 하지 못 하고 가만히 보고만 있을 수밖에 없었다. 자신의 목숨을 위해 아내를 배신한 사람에 대한 분노와 어쩔 수 없었다는 이해가 이정방의 표정을 복잡하게 만들 뿐이었다. 이정방은 사내를 눕혀 쉬게 한 뒤 방문을 나섰다. 마루에 걸터앉아 마당의 매화나무를 바라보며 잠시 생각에 빠져 있다 서태금이 그를 부르는 소리에 정신을 차렸다.

"나리 여기 말씀하신 따뜻한 물과 깨끗한 천을 구해 왔습니다. 그런데 왜 밖에 나와 계십니까?"

"아아. 몸 상태를 보니 생각보다 심한 상처는 없는 것 같아서 쉬게 한 뒤 밖에 나와 있었네. 그런데 범이 이 마을에 이렇게 자주 나타나 사람을 물어갔었나?

"아닙니다 나리. 한 달포 전에 크게 비가 왔었는데 그 뒤로 갑자기 호랑이가 마을에 내려오기 시작했습니다."

"그런가? 큰 비가 범의 서식지를 이동하게 만든 이유가 있는 것인가?"

"그것까지는 저도 잘 모르겠습니다 나리."

"아. 아닐세 혼잣말이야. 어서 들어가지."

"예. 나리."

이정방과 서태금이 방 안으로 들어갔다. 방으로 들어온 이정방은 서태금이 준비한 물과 천으로 다친 사내의 몸을 닦고 상처에 천을 묶어 지압을 하며 간단한 응급처치를 했다. 곧이어 모든 처치가 끝나자 이정방은 방 밖으로 나서며 서태금에게 말했다.

 "내 잠시 다녀 올테니 자네는 여기서 저 사람을 잘 돌봐주게."

 "어디에 가십니까 나리?"

 "저 사람을 물어간 범의 흔적을 찾아보고 오겠네 금방 올 테니 잠시 기다리게."

 "알겠습니다. 조심히 다녀오십시오 나리."

 이정방이 서태금의 집을 나서 새벽에 나타났던 범의 흔적을 쫓아 마을 근처 산으로 향했다.

7. 박수무당

  박필부의 몸종이 아랫마을에서 박수무당을 데리고 마을에 들어섰다. 하얀 분을 발라 얼굴은 새하얗고 오색 저고리를 곱게 입은 박수무당은 몸종의 뒤를 따르고 있었다. 몸종이 걸음을 재촉하며 앞서 나가고 있었지만 박수무당은 느긋하게 걸으며 몸종의 애를 닳게 했다. 그러다 몸종이 답답함을 못 이겨 박수무당에게 말을 했다.

  "지금 한시가 급하니 어서 서둘러야 합니다."

  "아니 뭐가 그리 급하다고. 어차피 마을에 들어섰으니 조금 천천히 가. 아니면 저기서 좀 쉬었다 갈까."

  "아..아니 지금 어르신께서 급히 찾으시니 빨리 가야 합니다."

  "그래서 이리 급하게 마을까지 왔으니 이제 좀 천천히 가자고."

  말을 마친 박수무당이 마을에 들어서 몸종과 걸어가다 갑자기 걸음을 멈추었다. 그리고 황급히 주위를 살피며 방울을 꺼내 흔들었다. 갑작스런 박수무당의 행동에 앞서던 몸종이 당황하며 말했다.

"아니 지금 뭐 하는 겁니까? 조금만 가면 어르신 집입니다."

"쉿! 좀 조용히 해라."

딸랑 딸랑. 눈을 감고 방울을 흔들던 박수무당이 한참을 혼자 중얼거리다 갑자기 눈을 떴다. 박수무당은 자신의 앞에서 발을 동동 구르던 몸종을 보며 말했다.

"이 마을 기운이 안 좋아. 내 이 마을을 좀 둘러보고 갈 테니 어르신한테 말 좀 전해. 금방 살피고 가니 오래 걸리진 않으니 조금 기다리라고 말이야."

자신의 할 말을 마친 박수무당은 몸을 돌려 빠른 걸음으로 사라졌다. 그 모습을 황망히 쳐다보고 있다 박수무당을 놓치곤 울상을 지으며 혼자 말했다.

"아이고. 저 무당 놈 때문에 어르신께 혼나게 생겼구나."

몸종은 축 처진 어깨와 무거워진 발로 인해 땅을 질질 끌며 집으로 향했다. 그리 큰 규모는 아니지만 마을의 다른 집들보다 조금 더 넓은 마당과 초가집이 아닌 기와집으로 한눈에 봐도 마을 중에서 제일 잘 살 것처럼 보이는 집의 대문을 몸종이 열고 들어갔다. 마침 마당에 나와 있던 박필부는 문을 열고 들어오는 몸종을 보고 표정을 환하게 지으며 말했다.

"그래. 그 무당은 데리고 왔느냐?"

"예 어르신 마을까지는 데리고 왔습니다. 헌데.."

"근데 그 무당은 어디에 있느냐 보이지가 않는데?"

"그것이. 마을에 들어서자 갑자기 우리 마을의 기운이 안 좋다면서 마을을 좀 둘러본다고 가버렸습니다. 송구합니다 나리."

"그래? 그 무당이 그런 말을 했단 말이지?"

"예 틀림없이 그리 말 했습니다 나리."

"역시 우리 마을에 마가 꼈나보군. 알겠다. 이만 들어가 보거라."

"예 나리. 들어가 보겠습니다."

몸종이 사라지고 박필부는 마당을 왔다 갔다 하며 초조한 티를 내며 걸었다. 그리고 조용히 혼잣말을 하다 멈추어 서며 말했다.

"에이 답답해서야 원. 여봐라 나갈 채비를 하거라. 내 그 무당을 찾으러 나갈 테니. 그리고 몸 좀 건장한 놈들은 몽둥이를 챙겨서 나를 따라 오거라."

박필부의 갑작스런 외침에 집 안의 종들이 분주히 움직이며 나갈 채비를 했다. 건장한 몇몇의 종들은 몽둥이를 한 손에 움켜쥐고 박필부의 곁에 섰다. 모든 준비가 다 된 것을 확인한 박필부는 집 밖으로 나서 박수무당을 찾아 마을을 가로지르기 시작했다. 박필부 무리의 사람들이 움직이니 마을사람들이 하나 둘씩 무언가 구경거리가 생긴 듯 나타나 그 무리의 뒤꽁무니를 쫒아 따라다녔다. 뒤에 붙은 마을사람들은 무슨 이유로 가는 지도 모른 채 그저 웅성거리며 뒤를 쫒을 뿐이었다.

8. 제물

박수무당은 마을을 이러 저리 살피며 움직이다 마을 끝에 있는 서태금의 집에 다다랐다. 그는 그 집 앞에 서서 한참을 노려다 집을 한 바퀴 둘러보고는 싸리문 앞에 서서 한참을 집 안을 향해 날카로운 눈빛으로 노려보았다. 한참을 서서 노려보다 품속에서 방울과 한쪽 끝이 약간 휘고 길이는 두 뼘 정도 되는 날이 서있지 않은 칼을 꺼냈다. 그리고 방울을 흔들며 뭐라 중얼거리기 시작했다. 무당이 방울을 흔들며 다른 손에 들고 있던 칼을 허공에 살살 휘두르기 시작 할 때 방문이 열리며 서태금이 밖으로 나왔다. 서태금은 피로 물든 천과 물을 가지고 나오다 집 밖에 서 있는 낯선 사람을 보고 깜짝 놀라 몸을 흠칫 떨며 들고 있던 물을 조금 흘렸다. 그리고 그 남자에게 말을 걸었다.

"거기 누구시오? 남에 집 앞에서 칼을 들고 뭐 하고 있는겁니까?

"너는 이 집에 사는 사람인거 같은데. 저 방 안에는

또 누가 있느냐?"

"누구 시킬래 다짜고짜 그러십니까?"

"길게 말 할 것 없고 저 방 안에 누가 있지?"

두 사람이 입씨름을 할 때 마침 박필부가 이끌던 무리가 서태금의 집 앞에 나타났다. 박필부는 서태금의 집 앞에 서 있는 박수무당을 보고는 크게 웃으며 말했다.

"아니. 여기에 있었나? 한참을 찾았는데. 역시 여기에 있었군. 여기에 있을 줄 알았어."

"그러십니까? 도대체 이 마을에 무슨 일이 있는 겁니까? 이리 흉흉한 기운이 있는 마을이라니.."

"하하 역시 용하다는 소문이 거짓이 아니었군. 그래 뭐가 좀 보이는가?"

"저 집안에서 고약한 냄새가 풍기는 군요. 사실 이 마을에 처음 들어 왔을 때부터 마을 곳곳에서 피 냄새와 시체가 썩는 냄새가 풍겼습니다."

"그렇단 말이지? 역시 예삿일이 아니었군. 사실 요 며칠 전에 호랑이가 내려와서 사람을 물어갔네. 그리고 어제 새벽에도 두 명이 끌려갔다가 오늘 한 사람이 살아서 돌아왔는데 그 사람이 지금 저 집 안에 있다네."

"호랑이가 사람을 둘이나 먹었단 말씀이십니까? 그렇다면 이 마을에 창귀가 달라붙었군요. 역시나 어쩐지 마을에 들어왔을 때 딱 창귀의 냄새가 났습니다."

"허허 역시 용하구만. 내 궁금해서 그러는데 창귀에게서 무슨 냄새가 나는가?"

"창귀에서는 피 냄새와 썩은 냄새가 진동을 합니다. 제가 전에 만났던 창귀에게서도 그런 냄새가 났습니다."

"오 창귀를 이미 본 적이 있나보군. 그때 그 창귀는 어떻게 됐나?"

"굿으로 제가 천도를 잘 시켰지요. 하하 창귀는 사실 별것 아닙니다. 굿을 하면 됩니다. 이 마을에 호식을 당한 자가 둘이나 나왔다니 분명 호탈굿을 해야겠지요."

"그래 굿으로 이 마을이 다시 괜찮아 진다면 얼마든지 굿판을 열어야지. 용하다는 소문을 듣고 자네를 불렀지만 틀린 선택이 아니었던 것 같군. 부디 우리 마을을 구해주시게."

"하하하. 걱정하지 마십시오. 헌데 창귀가 하나가 아니라 비용이 좀 더 추가되어야 할 것 같습니다."

"그건 걱정 말게. 마을 사람들이 조금씩 모아서 어떻게든 마련할 테니. 그나저나 이 집 안에서 창귀의 냄새가 난다고 했던가?"

"아 흠흠. 예. 그렇습니다 나리. 분명 희미하긴 한데 여기 이 집에서 고약한 냄새가 풍기고 있습니다. 일단 저 방안에 있는 사람을 봐야겠습니다."

"그래 봐야지 그럼 정말 사람인지 아니면 귀신인지 말일세. 여봐라 저기 방 안에 있는 자를 끌고 오거라."

박필부의 명을 받은 건장한 몸집의 종들이 집 안을 밀고 들어가 상처에 붕대를 감고 부인을 잃어 슬퍼하는 사내를 강제로 끌고 나왔다. 서태금은 그 모습을 가만히 바라만 보고 있었다. 마당으로 끄집어 진 사내는 갑작스런 봉변에 놀라 비명을 지르며 몸부림을 치다 몸종이 들고 있던 몽둥이에 오금을 얻어맞고는 고통스러운 신음만 흘리며 마당에 엎드려 쓰러졌다. 그 모습을 보고 있던 박필부는 무당을 돌아보며 말했다.

"자 이자가 어제 호랑이에게 물렸다 살아 돌아 왔다던 사람일세. 이 자가 호랑이에게 물려가고 이 자의 안사람이 지아비를 구하겠다고 쫓아 갔다지 헌데 이 자는 살아 돌아오고 부인은 호랑이에게 잡아 먹혔네. 자네가 보기엔 이 자가 사람인가? 아니면 창귀인가?"

　박필부의 말을 듣던 무당이 오른손에 들고 있던 방울을 흔들며 주문을 외우기 시작했다. 그리고 다른 손에 들고 있던 칼을 자신의 어깨에 올렸다 내렸다 하며 덩실 덩실 춤을 추었다. 그 모습을 구경꾼들과 서태금이 긴장한 표정으로 바라보고 있을 때 춤을 추던 무당이 갑자기 뚝 하고 멈추었다. 그리고 박필부를 향해 외쳤다.

　"이 자는 사람이 아닙니다. 이 집에 들어 올 때 부터 고약한 냄새가 났는데 이는 분명 이자가 창귀라 그런 것입니다. 그리고 어제 호랑이에게 물려갔다는 자가 이리 큰 상처하나 없이 멀쩡하답니까? 이 놈의 부인도 분명 이놈이 꾀어서 호랑이에게 먹이로 바친 것이 분명합니다."

　"역시 그랬군. 그럼 이제 이놈은 어떻게 하면 되겠나?"

　"호식을 당한 사람은 원래 화장을 합니다. 불에 태우고 난 뒤 제가 굿을 하면 될 것입니다."

　엎드려 있던 사내는 두 사람의 대화를 듣고 악을 쓰며 일어나 말하려 했지만 건장한 몸종 둘이 그 사내의 어깨를 짓누르고 있어 다시 고꾸라지고 말았다. 비명에 가까운 목소리로 절규하며 소리쳤다.

"산 사람을 화장한다니 그게 무슨 소립니까. 전 사람입니다 귀신 따위가 아닙니다. 전 그저 절 구하려던 아내를 버리고 도망간 사람일 뿐입니다."

"닥쳐라 이놈! 어디 잡귀 따위가 사람을 홀려 해하려 하느냐! 더 들을 것도 없습니다. 당장 끌어내 이 마을 가운데 있는 공터로 끌고 가 거기서 의식을 치르겠습니다."

무당의 단호한 외침에 구경꾼들이 웅성거리기 시작했다. 그들은 눈앞의 사람이 악을 쓰며 자신은 사람이라고 하는 모습에 과연 무당의 말이 옳은지 아니면 생사람을 잡는 것인지 알 수가 없었다. 무당은 사람들이 동요하는 분위기를 눈치 채고 자신의 말이 옳은 것을 증명하기 위해 품속에서 부적을 꺼내며 사람들을 돌아보며 말했다.

"다들 내 말이 믿기지 않는 눈치인데. 자 내가 이 부적을 태워 그 재를 이 자의 몸에 뿌릴 것이다. 만약 이 자가 사람이라면 재를 맞아도 아무렇지 않을 것이고, 귀신이라면 고통에 몸부림 칠 것이다. 자 내가 이 자가 사람인지 귀신인지 증명해 보이겠다.

말을 마친 박수무당은 부적에 불을 붙이고는 엎드려
있는 사내의 얼굴에다 던졌다. 그 부적이 얼굴에 닿자
그 사내의 얼굴이 일그러지며 발갛게 달아올랐다. 그리
고 참으려던 신음이 새어나오자 이를 놓치지 않고 무
당이 달려들어 얼굴 위에서 불씨가 아직 남아있는 부
적을 발로 힘을 주며 밟자 사내는 비명을 지르며 괴로
워했다.

"자 다들 보았겠지? 이 자는 사람이 아니라 귀신이
다. 내 특별히 만든 이 부적은 귀신이 견디지 못 할 고
통을 주게 되어있지."

박수무당이 의기양양하게 사람들을 돌아보며 말했다.
그 모습을 가만히 지켜만 보던 박필부는 이제 사람들
앞에 나서 상황을 정리하기 위해 입을 열었다.

"그래 다들 저 놈이 귀신이라는 것을 똑똑히 알 것이
네. 역시 용하다는 소문이 사실이었어. 자 다들 뭐 하
는 겐가. 저 자를 끌고 가라 우리 마을에 해를 끼치려
던 악귀를 빨리 처치해야 하지 않겠나!"

박필부가 외치자 그를 따르던 몸종들이 사내를 끌고
가기 시작했다. 몸종이 사내를 끌고 가는 자리마다 구

경을 하던 마을 사람들 중 어떤 이는 침을 뱉었으며 또 다른 이는 욕을 하며 길을 내주었다. 하지만 끌려가는 사내는 포기하지 않고 자신은 사람이며 억울하다고 소리를 지르며 악을 써 가며 버텼지만 이내 몸종의 몽둥이에 머리를 맞고 기절해 힘없이 끌려갔다. 서태금은 그 모습을 말없이 집 마루에 걸터앉아 지켜만 보고 있었다. 그런 서태금에게 박필부가 다가가 말을 걸었다.

"내가 분명히 경고 했지 않나. 자네는 쓸데없는 짓을 했어. 정체를 모르는 외지인을 우리 마을에 끌고 와서는 안됐네. 그 외지인을 너무 믿지 말게나."

"하지만 어르신.."

"괜한 말을 삼가 하게. 자네는 빨리 호랑이를 잡아서 자네 아비의 혼을 달래 주는 것 말고는 이 마을에서 아무런 참견을 하지 말게나. 자네는 자네의 일에만 신경 쓰란 말일세. 그럼 잘 알아들은 것으로 알겠네."

말을 마친 박필부는 더는 할 말이 없다는 듯 단호히 뒤를 돌아 서태금의 집을 나섰다. 서태금은 그 뒷모습을 가만히 바라만 보고 있었다. 요란했던 사람들이 다 빠져나가 고요한 적막과 매실나무 향이 집을 감싸고 있었다.

9. 협박

　오후가 되어서 이정방은 서태금의 집으로 돌아왔다. 이정방은 무언가 이상한 분위기를 눈치 채고 서태금에게 다가가 물었다.

　"내가 없는 사이에 무슨 일이라도 생겼나? 혹시 범이 다시 나타났나?"

　"아닙니다 나리. 실은 박필부 어르신이 무당을 데리고 와 여기 있던 사람이 창귀라며 끌고 갔습니다."

　"아니! 그게 무슨 말인가. 다친 사람을 끌고 갔단 말인가? 그게 무슨 황당한 소리인가?"

　"예 나리. 사실입니다. 무당이 말하길 창귀가 마을사람들을 홀리고 있다고 그랬습니다. 그래서 마을 공터에서 굿판을 벌인다고 했습니다."

　서태금의 말을 듣던 이정방은 화가 난 듯 빨개진 안색으로 집을 뛰쳐나갔다. 그런 이정방을 서태금은 잠시 바라보다 이내 정신을 차리고 이정방의 뒤를 쫓아갔다. 이정방과 서태금이 마을 공터에 도착 했을 때 공터에는 많은 사람들이 굿판을 구경하기 위해 모여들고 있었다. 공터 중심에는 박수무당이 사람들에게 이것저것 지시를 하며 제사상을 차리며 굿을 준비하고 있었고, 박필부는 자신의 종들과 함께 그 모습을 지켜보고 있었다. 그리고 굿판의 한 가운데에는 한 사람이 소나무로 만든 기둥에 몸이 묶인 채 악을 쓰고 있었다.

"사람 살려주시오. 저는 창귀가 아닙니다. 저는 사람입니다. 제발 좀 살려주시오."

"닥쳐라. 어딜 요망한 입으로 사람을 홀리려 하느냐. 내가 왔으니 네놈이 재주를 부려도 다 소용 없을 것이다."

굿판을 준비하던 박수무당이 악을 쓰며 살려 달라 소리를 지르는 사내에게 말하며 다가섰다. 박수무당은 사내를 가만히 노려보다 박필부를 돌아보며 말했다.

"어르신. 이놈이 끝까지 인정을 안 하려고 그러는가 봅니다. 서둘러서 진행해야겠습니다."

"그래. 이런 일을 길게 끌어봐야 좋지 않으니 어서 서두르세."

박필부가 종들에게 지시를 내리며 재촉을 하고 있을 때. 구경꾼들 사이를 헤치며 이정방이 박필부의 앞으로 다가왔다. 박필부는 다가오는 이정방을 힐끗 보고는 종들에게 눈짓으로 신호를 보냈다. 그러자 종들이 이정방의 앞을 막아서며 말했다.

"이 일은 외지인이 간섭할 일이 아니니 그만 물러서시오."

"나는 종놈에게는 볼 일이 없으니 물러서라. 네놈 뒤쪽의 영감하고 말을 해야겠으니."

"아니 이놈이 좋게좋게 말을 하려 했더니."

이정방이 자신을 가로막는 종을 밀치며 지나가려 했다. 하지만 주위에 있던 다른 종들이 달라붙어 이정방을 가로막으며 밀어냈다. 점점 몸싸움이 격해지자 지켜보던 박필부가 옆에 있던 몸이 건장한 사내에게 눈짓을 했다. 박필부의 지시를 받은 사내는 몸싸움을 벌이던 이정방의 뒤로 다가가 몽둥이를 휘둘렀다. 갑작스런 충격에 대비를 하지 못 한 이정방은 앞으로 고꾸라졌다. 이정방이 땅에 엎어져 신음을 흘리고 있을 때 박필부는 이정방의 앞으로 다가서 그를 내려다보며 말했다.

"이 이상 외지인은 간섭을 하지 말게. 내가 그래도 모진 성격은 아니라 이정도로 넘어가는 걸세. 만약 더 이상 간섭을 한다면 자네도 무사하지는 못 할 걸세."

"으윽.. 당신 제정신이 아니야. 멀쩡한 사람을 데려가서 무슨 짓을 하려는 겁니까!"

"자네는 창귀를 믿지 않는다 했지만 이제는 믿게 될 걸세. 창귀가 어떻게 되는지 잘 보고 있으시게나."

"저자는 사람입니다. 눈이 있으면 알지 않습니까. 저 사람이 귀신 따위가 아니라는 것을."

"허허 조용히 하게. 귀신은 눈으로 보는 것이 아닐세. 자네와 말싸움 하는 것은 입만 아픈 것 같군. 자네는 그저 호랑이를 빨리 잡고 이 마을을 빨리 떠나시게. 만약 자네가 약속한 일주일 내로 호랑이를 잡지 못 한다면. 그땐 자네가 정말 사람인지 아니면 창귀인지 따져 봐야 할 걸세."

박필부는 말을 마치고 종들에게 손짓을 했다. 종들은 쓰러진 이정방을 끌고 마을 공터에서 벗어나 마을 밖으로 이정방을 던지며 쫓아냈다. 종들에게 던져진 이정방은 땅을 몇 바퀴 구른 뒤 힘겹게 몸을 일으켰다. 하지만 곧 중심을 잃고 바닥에 엉덩이를 깔고 털썩 앉았다. 한참을 그렇게 앉아있던 이정방 곁으로 서태금이 걸어와 말했다.

"나리. 괜찮으십니까? 나리께서 종들에게 끌려가는 것

을 보고 이렇게 쫓아왔습니다."

"자네로군. 그래 자네가 안 보이길래 어디에 있나 했었네."

"나리께서 걸음이 너무 빠르셔서 제가 그만 놓쳐버렸습니다. 그러다 공터에서 사람들이 모여 구경을 하길래 저도 뭔가 하고 구경을 하다가 나리께서 끌려가는 것을 보고 뒤늦게 쫓아갔습니다."

"그래. 나를 부축 좀 해주게. 빨리 범을 잡아야겠어. 이 마을이 기어이 미쳐버렸군."

"무슨 일이 있었습니까? 나리."

"그 영감 놈이 나를 협박을 하더군. 빨리 범을 잡지 않으면 나를 저기 나무 기둥에 묶인 사람처럼 된다고 말이야. 이 마을은 다들 미쳐버렸네."

"그렇군요. 정말 다들 정신이 나가고 있는 것 같습니다."

이정방을 부축하던 서태금은 이정방의 욕지거리를 잠잠히 들으며 앞으로 걸어 나갔다. 마을을 벗어나던 두 사람의 뒤에는 멀리 마을 가운데에서 부터 검은 연기 한 줄기가 하늘로 올라가고 있었다.

10. 호탈굿

 이정방이 박필부의 종들에게 끌려갈 시점에 마을의 공터에서는 요란한 굿판이 벌어지기 시작했다. 어디서 준비했는지 박수무당은 호랑이 모양을 한 탈을 쓰고 제사상 앞에 서서 화려한 칼춤 추었다. 박수무당의 춤사위에 맞춰 요란한 꽹과리 소리와 북소리가 어우러져 보고 있는 사람의 넋을 빼놓았다. 한참을 호랑이 탈을 쓰고 춤을 추고 있던 박수무당에게 한 사람이 개 한 마리를 줄에 묶어서 끌고 왔다. 묶여서 벌벌 떨고 있는 개 앞에서 또 한참을 춤을 추던 박수무당이 별안간 손에 들고 있던 칼을 개를 향해 내리쳤다. 개는 갑작스런 공격으로 온 몸을 경련하며 쓰러지며 피를 바닥으로 쏟아냈다. 그렇게 개를 공격한 박수무당은 쓰러진 개에게 다가가 개가 흘리는 피를 옷에 묻혀가며 개를 먹는 시늉을 했다. 그때 등에 나무로 만든 총을 멘 포수가 나타나 나무총을 꺼내들어 호랑이 탈을 쓴 박수무당에게 겨누며 위협을 했다. 호랑이 탈을 쓴 박수무당은 포수의 총을 피해 굿판 가운데 세워진 나무 기둥 뒤로 이리 저리 피하며 한껏 굿판의 흥을 돋우었다. 그렇게 포수가 호랑이 탈을 쓴 박수무당에게 총을 쏘는 시늉을 하고 호랑이 탈을 쓴 무당은 쓰러졌다. 그리고 포수가 박수무당에게 다가가 잡은 호랑이의 가죽을 벗기듯 박수무당의 옷을 벗기며 굿판의 끝을 알렸다. 쓰러져 있던 박수무당은 자리에서 일어나 벗겨진 옷을 손에 들고 박필부에게 다가가 말했다.

"자 이제 호탈굿이 마무리 단계입니다. 이제 이 옷을 저 기둥에 묶인 창귀와 함께 태우면 다 끝입니다. 그럼 이제 이 마을도 고비를 일단 벗어 날겁니다."

"그래 정말 고생 많았네. 이로써 우리 마을도 안정을 다시 찾겠군."

"그것이 아직 완전히 끝이 난 것은 아닙니다. 안 그래도 굿이 끝나고 말씀을 따로 드리려 했는데 실은 이 마을에 창귀가 더 있는 것 같습니다."

"아니? 그게 무슨 말인가! 창귀가 더 있다니."

"어르신 언성을 좀 낮추시지요. 마을 사람들이 들으면 혼란에 빠질 것입니다."

"크흠. 그래 알겠네. 근데 자네가 한 말이 무슨 뜻인가?"

"실은 제가 이 마을에 들어 왔을 때 이상한 기운이 느껴져 마을 곳곳을 살펴봤습니다. 제일 냄새가 심한 곳에서 저 창귀놈을 찾아냈지만 이 마을에는 약하지만 저 창귀놈과 비슷한 냄새를 풍기는 곳이 몇 군데 있었습니다."

"이런. 언제부터 우리 마을이 창귀들의 소굴이 되었단 말인가. 내 자네만 믿을 테니 우리 마을을 부디 창귀들로 부터 구해주시게."

"걱정 마십시오 나리. 제가 책임지고 이 마을의 창귀놈들을 다 처단하겠습니다."

"그래 내 이 마을을 위해서 자네에게 모든 것을 맡길테니 하루라도 빨리 창귀들을 잡아주시게."

"알겠습니다. 그럼 저기 잡아놓은 창귀부터 처리 하겠습니다."

대화를 끝낸 박수무당은 한 사내가 묶여있는 나무기둥으로 다가갔다. 그 기둥아래에는 불이 붙기 쉽게 하기 위해 나뭇가지들을 모아 기름을 뿌려두었다. 묶여있는 사내는 악을 쓰며 발악을 하다 진이 빠져 더 이상 입을 열 힘조차 없는 듯 했다. 사내의 눈에는 이미 체념한 듯 초점 없이 멍하니 있을 뿐이었다. 박수무당은 그런 사내를 가만히 바라보다 사내만 들리게 조용히 입을 열었다.

"그래 이제 자네가 창귀라는 것을 받아들인 것이냐."

"..나는.. 창귀가 아니오."

"크큭. 여태 인정을 안 하다니 네놈 근성은 내가 인정 해주마. 하지만 이미 늦었다. 이제와 자네가 창귀인지 사람인지는 중요한게 아니야. 크큭."

"..뭣? 그게 무슨 말이냐!"

"쉿! 조용히 하게 내 자네 덕에 이 마을에서 돈을 좀 만질 수 있을 거 같으니 불에 타 죽는 고통은 못 느끼 게 자비를 베풀어 주지."

"이..이 놈이?!"

박수무당은 사내의 말이 끝나기 전에 등 뒤에 감춘 손에서 몽둥이를 휘둘러 사내의 머리를 가격했다. 사내 는 이미 진이 빠질 때로 빠진 상태에서 머리에 큰 충 격을 받자 그대로 혼절해 버렸다. 박수무당은 혼절한 사내를 확인하고는 사람들을 시켜 나무 기둥에 불을 지폈다. 기름을 잔뜩 먹은 땔감은 순식간에 커다란 불 을 만들어 냈고 이내 기둥에 묶인 사내를 삼켜버렸다.

활활 타오르는 불은 사내를 태우며 검은 연기를 내뿜으며 매캐한 누린내를 풍기게 했다. 마을 사람들은 모여서 구경을 하다 고약한 누린내에 약한 기침을 하며 겁이 나서 자리를 서둘러 떠나버렸다.

11. 매실

굿판이 끝나고 다음날이 되자 박필부와 박수무당은 마을을 돌아다니며 마을에 숨어있다는 창귀를 찾는 일을 시작했다. 마을사람들은 박필부와 박수무당이 마을에 창귀가 남아 찾고 있다는 사실을 알게 되자 처음에는 창귀가 마을에 숨어있다는 것에 공포를 느꼈지만 얼마 지나지 않아 모두 자신이 창귀로 몰려 기둥에 묶여 불에 타 죽지는 않을까 하는 불안감에 휩싸였다. 불안함에 가만히 있을 수 없는 지경에 이르자 마을사람들은 다른 사람의 이목을 피해 박수무당을 찾아갔다.

"저..저기 박수무당 나리. 마을에 아직 창귀가 남아 있다는 소문이 사실입니까? 그렇다면 혹시 창귀가 저희 집에 오지 못 하게 하는 부적이 없겠습니까?"

"아니. 그런 소문은 어디서 듣고 오는 게야? 이것 참 비밀에 붙인 사실이 이렇게 새어 나가다니."

"소문이 사실인가 봅니다. 무당 나리 부디 부적을 하나 써주십시오. 창귀가 언제 나타나 저를 홀릴지 두려워 잠도 제대로 못 자고 있습니다."

"부적이야 내 써줄 수는 있지. 하지만 내가 모시는 신령님께 성의는 보이셔야지? 성의를 보여야 신령님이 힘을 써 부적에 힘이 실린다 이 말이야."

"아아. 물론입죠. 제가 어디 염치없이 빈손으로 왔겠습니까? 저희 집 남은 재산을 몽땅 다 긁어 왔습니다."

"에이. 이거 밖에 안돼? 이것 참 신령님이 이정도 성의로 힘을 잘 쓰실지 모르는데?"

"아이고 나리 이것이 제가 가진 전부입니다. 부디 부탁 좀 드리겠습니다."

"허허 이것 참 나 정도 되는 무당이 이거 가지곤 부적을 쓰기는 좀 그렇고. 내 그래도 자네가 불쌍해서 그러니 다른 방도는 하나 알려주지."

"다른 방도라 하시면..?"

"창귀가 환장하고 좋아하는 것이 매실이란 말이지? 그러니 매실을 자네 집 말고 근처 다른데다 뿌려 놓으면 자네 집으로 오려다가 그 매실에 눈이 멀어서 밤새 매실을 주워 먹다가 돌아갈걸?"

"아아 그렇습니까? 정말 감사합니다. 나리. 그럼 매실

만 있으면 창귀가 저희 집으로 오지는 않는다 이 말씀
입죠?"

"그렇다니까? 뭐 부적이 확실하긴 한데. 매실은 임시
방편이지 그래도 그게 어디야? 어서 가서 매실이나 구
하러 가. 거기 가지고 온 것은 내놓고 가고."

"아.. 알겠습니다. 감사합니다."

박수무당은 자신의 말을 듣고 매실을 구하기 위해 뒤
도 돌아보지 않고 뛰어가는 사람을 보며 혀를 끌끌 거
리며 차며 말했다.

"하하 이것 참. 일이 너무 쉽게 풀리는데. 이렇게 소
문이 퍼지면 조만간 이 마을 사람들 돈이 다 내 주머
니 속으로 들어오겠어. 하하하."

박수무당은 이 마을에서 자신이 벌어드릴 수입을 생
각하며 웃었다. 그때 박필부의 몸종이 박수무당을 찾아
와 박필부의 말을 전했다.

"무당 나리. 어르신께서 찾으십니다. 제가 모시겠습니
다."

"아아 그래. 어서 가자."

박수무당과 박필부의 몸종이 거리를 지나 박필부의
집으로 향했다. 그들이 지나는 곳에서는 마을 사람들이

혹시라도 눈이 마주칠까 감히 쳐다보지 못하고 집 안으로 도망가듯 들어갔다. 박수무당이 몸종과 함께 박필부에 집에 들어섰다. 초조한 기색으로 자리를 이리 저리 왔다 갔다 하던 박필부는 박수무당이 마당으로 들어서는 것을 보고 활짝 웃으며 반겼다.

"어서 오시게. 그래 일은 어떻게 잘 진행되고 있는 것인가?"

"예 어르신. 마을에 숨어있는 창귀를 색출할 미끼를 던져 놨으니 곧 그것을 물어 수면위로 떠오를 것입니다."

"허허. 마냥 이렇게 기다리는 것 밖에는 할 수 없는 것인가?"

"송구 합니다 어르신. 창귀놈들이 마을에서 굿을 한 뒤로 기운을 숨기는 바람에 제 능력으로는 쉽게 찾지는 못할 것 같습니다. 하지만 그놈들이 물지 않고는 못 배길 미끼를 던져 놨으니 곧 신호가 올 것입니다. 걱정마십시오."

"그래 알겠네. 자네만 믿고 있을 테니 필요한 것이 있으면 뭐든 말 하시게."

"하하 저만 믿으시지요. 그리고 말이 나와서 그런데

전에 값을 더 쳐 주시겠다는 약조는 잊지 마십시오 어르신. 제가 잡은 창귀 만큼 값을 더 쳐주셔야합니다 어르신."

"그래 내 잊지 않고 있네. 자네가 빨리 창귀를 잡아 이 마을을 다시 평안하게 해 준다면 돈이야 문제겠는가. 걱정 말고 하루라도 빨리 창귀를 잡아 주시게."

"알겠습니다. 저는 그럼 창귀를 잡을 준비를 하러 가보겠습니다. 준비가 다 끝나면 제가 찾아뵙겠습니다 어르신."

"그래 어서 나가보게나."

박필부의 말을 들은 박수무당은 집을 나서 밖으로 향했다. 밖으로 나온 박수무당은 잠시 박필부의 집을 돌아보고 웃음을 지었다. 잠깐 동안 박필부의 집에 서 있던 박수무당은 걸음을 옮겨 마을 외곽으로 향했다.

12. 도망

 서태금의 집에서 몸을 추스린 이정방은 곧장 산으로 향하기 위해 채비를 했다. 서태금은 이정방이 서두르는 모습을 보며 이정방에게 말했다.

 "나리 몸을 좀 더 추스르고 떠나는 것이 어떻겠습니까? 게다가 지금 하늘에 먹구름이 드리운 것이 한바탕 비가 쏟아 질것 같습니다."

 "아닐세. 몸은 이 정도면 충분히 추슬렀네. 그리고 비가 오기 전에 지금 떠나야해. 비가 오고 나면 흔적이 많이 지워질 것이니 말일세."

 "그렇다면 저도 같이 가겠습니다. 준비를 할 테니 잠시만 기다려 주십시오. 나리."

 "아니야. 아닐세. 이번에는 나 혼자 다녀 올 테니 자네는 집에서 기다리고 있게. 어차피 범을 바로 잡으러 가는 것이 아니라 범의 서식지를 살피러 가는 것이니 혼자 가는 것이 더 빠르네. 그럼 다녀오겠네."

 말을 마친 이정방은 뒤도 돌아보지 않고 곧장 산으로

향했다. 낮에도 빽빽하게 우거진 나무들로 어두웠던 산이 먹구름이 드리우자 마치 밤처럼 시커먼 어둠이 나무들 사이로 찾아 들었다. 이정방은 깜깜한 어둠에도 아랑곳 하지 않고 거침없이 앞으로 향해 나아갔다. 이정방이 한참을 산을 오르고 있을 때 하늘에서 굵은 빗방울이 쏟아져 내리기 시작했다. 비를 맞으면서도 걸음을 멈추지 않던 이정방은 굵은 빗방울이 도저히 눈을 뜰 수 없게 만들자 어쩔 수 없이 비를 피할 만한 곳을 찾았다. 주위를 둘러보면서 풀숲을 해치고 나가고 있을 때 멀리에서 약한 불빛이 보였다. 이정방은 빛이 나오는 곳을 향해 발걸음을 재촉했다. 빛이 나오는 쪽으로 가까이 다가가자 불빛이 점점 선명하게 빛났다. 불빛의 정체는 얕은 동굴에서 나오는 모닥불 이었다. 이정방은 모닥불을 보며 가까이 다가가다 모닥불 근처에 한 노인이 앉아 있는 것을 보았다. 그 노인은 허름한 넝마를 입고 옆에는 망태기를 멘 채로 모닥불 옆에 앉아서 휴식을 취하고 있었다. 이정방은 그 노인에게서 무언가 서늘함이 느껴져 잠시 망설였지만 일단 비를 피해야 했기에 어쩔 수 없이 동굴을 향해 다가갔다.

13. 심마니

동굴 안에는 한 노인이 모닥불 앞에 앉아있었다. 노인은 밖에서 들리는 인기척에 고개를 들어 이정방을 바라봤다. 그리고는 입꼬리를 들어 미소를 지으며 말했다.

"거기 누구시오? 이리 가까이 와보시게"

"아 실례합니다. 산길을 걷다가 그만 비가 내리는 바람에 잠시 피할 곳을 찾고 있었습니다."

"옳지 잘 됐구먼. 여기 이리 와서 잠시 쉬다가 가시게."

"그럼 실례하겠습니다."

"그래그래. 여기 물 한잔 하시게. 여기까지 오느라 고단했을 테니."

"예 그럼 사양하지 않고 마시겠습니다. 그런데 어찌 이런 곳에 있으셨습니까?"

"이런 내 소개를 깜빡했구먼. 난 보다시피 심마니라네. 약초를 캐다가 비가 쏟아져 여기서 잠시 쉬고 있었지. 그런데 자네는 이런 산 속에 어쩐 일인가?"

"아 저는 사냥꾼입니다. 헌데 이 산에 범이 나온다는 소문은 듣지 못 했습니까? 혼자 산 속을 다니면 위험하니 비가 그치면 내려가시지요."

"알고 있네. 하지만 먹고는 살아야 하지 않겠나. 호랑이보다 굶어 죽는 것이 더 무섭다네."

"그렇습니까? 어르신은 여기 아래에 있는 마을에서 호환이 생겼다는 소문은 못 들으셨습니까?"

"그런 소문이 있었나? 나는 외딴곳에서 사는지라 그런 소문은 듣지 못 했네. 호랑이가 이 산에서 산다는 말을 오래전부터 있었지만 호환이 났다는 말은 듣지 못 했네. 그럼 자내는 호랑이를 잡으러 왔는가?"

"호랑이가 나온다는 소문을 듣고 왔지만 별 소득이 없어 그냥 돌아가려고 하는 참입니다."

"저런 하긴 호랑이가 쉬운 사냥감을 아닐 테니 참 아쉽겠구먼."

"아닙니다. 제 능력이 부족한 탓이니 어쩔 수 없지요. 하지만 옛 동료들을 모아 다시 호랑이 사냥을 해 볼까 합니다."

"허허 그렇군. 부디 바라는 일이 잘 되길 바라네. 비가 그치면 같이 산을 내려가세 내 산길은 잘 아니 산 아래까지 길을 안내해 주겠네."

"감사합니다. 어르신. 제가 뜻밖의 행운을 만났습니다."

"아닐세. 이런 산속에서 이렇게 만난 것도 다 산신의 뜻이 아니겠는가? 허허 그럼 비가 그칠 때 까지 잠시 쉬고 있으시게."

"예 어르신 그럼 부탁 좀 드리겠습니다.:

말을 마친 이정방은 긴장을 풀고 모닥불 근처에 자리를 잡고 앉았다. 심마니 노인은 그런 이정방을 흘끗 쳐다보곤 이내 망태기안의 풀들을 꺼내 정리하기 시작했다. 그렇게 밖의 빗소리만 들리고 동굴은 고요함이 한동안 지속됐다.

한참동안 내리던 비가 조용해지며 산 속에도 조용히 풀벌레 소리만이 들렸다. 이정방은 자리에 앉아 가만히 밖을 바라보다 모닥불 근처에 있던 노인이 자리에서 일어나자 노인을 향해 시선을 돌렸다. 노인은 무엇이 그리 기분이 좋은지 활짝 웃고는 갑자기 덩실 덩실 팔을 올리며 춤을 추기 시작했다. 갑작스러운 그 모습에 이정방은 당황하다 노인에게 말을 걸었다.

"아니 어르신 갑자기 왜 그러십니까?"

"하하하 아니 기분이 너무 좋아서 참을 수가 있어야 말일세."

"무슨 기분 좋은 일이 있길래 그러십니까?"

"아닐세 아니야. 잠시 후면 자네도 알게 될 걸세. 하하하. 자 이제 비가 좀 그친 것 같으니 내려가세."

"비가 그쳤지만 날이 어두워 졌습니다. 아침에 내려가는 것이 더 안전하지 않겠습니까?"

"괜찮네. 이 산은 내 구역이야. 이 산 속 구석구석 다 알고 있으니 걱정 말게나. 그리고 오늘은 보름달이 환하게 떴으니 낮이나 다름없다네. 자 어서 가세."

노인의 재촉에 이정방은 어쩔 수 없이 자리에서 일어나 짐을 꾸렸다. 이정방이 짐을 챙기는 동안 노인은 무엇이 그리 급한지 엉덩이를 들썩 거리며 한시도 가만히 있질 못 했다. 이정방이 짐을 꾸리고 일어나는 모습을 보이자 그때서야 노인은 안절부절 하던 모습을 지우고 얼굴에 미소를 띠며 말했다.

"자자 다 챙긴 것 같으니 어서 내려가세. 내 뒤를 잘 따라오게나."

"예 어르신. 너무 무리 하지는 마십시오."

"허허 내 걱정을 하는 겐가. 걱정 말고 잘 따라오기나 하게. 아마 따라잡기가 쉽지는 않을 걸세."

 말을 마친 노인은 앞장서 산을 내려가기 시작했다. 이 정방은 노인의 등을 바라보며 뒤를 쫓아갔다. 노인은 산을 내려가는 속도가 점점 빨라졌고 이정방은 노인을 놓치지 않기 위해 따라 속도를 올렸다. 이정방은 정신 없이 노인을 쫓아 갔지만 노인과의 거리는 좀처럼 좁혀지지 않았다. 정신없이 노인을 따라잡으려 등만을 바라보며 달리다 문득 노인을 다리를 보니 노인은 걸어가고 있었다. 이정방은 순간적으로 온 몸에 소름이 돌아 그 자리에 멈추어 섰다. 이정방이 멈추자 노인은 마치 이정방의 그림자처럼 똑같이 멈춰 제자리에 우뚝 섰다. 이정방은 멈춰 서 있는 노인의 등을 바라보며 한동안 움직일 수가 없었다. 묘한 침묵만이 잠깐 흐르고 노인이 슬며시 고개를 뒤로 돌려 이정방에게 말 했다.

 "왜 안 따라 오시는가? 힘들면 잠깐 쉬었다 가겠나?"

 "으아악!"

 노인이 말을 걸자 이정방은 기겁을 하며 뒤로 돌아 정신없이 달리기 시작했다. 몸통은 정면을 바라보고 머리는 등쪽 으로 돌아간 노인은 도망가는 이정방을 가만히 바라보았다. 그리고 알 수 없는 말을 중얼거리며 머리는 가만히 있고 몸통이 제자리로 돌아와 원래의 모습으로 이정방의 뒤를 천천히 쫓았다. 이정방은 자신이 본 것이 이해가 가지 않았다. 자신이 잘못 봤을 수도 있다고 속으로 끊임없이 되뇌었다. 하지만 뛰어가는 속도는 줄이지 않았다. 이정방은 그저 자신이 도망치려 했던 그 마을로 다시 돌아가 멍청하고 천하다고 생각했던 그 마을 사람이 간절히 보고 싶어졌다. 이정방은 한참을 달리다 힐끔 뒤를 보니 노인이 따라오는 기척은 보이지 않자 달리던 속도를 줄여 잠시 숨을 골랐다. 이정방이 자리에 멈추어 깊은 숨을 두어 번 내쉬고 있을 때 나무들 사이에서 노인의 목소리가 들렸다.

"이보게 젊으니 나를 쫓아오지 않고 어디를 가는 겐가?"

갑작스러운 노인의 말소리가 들리자 이정방은 너무 놀란 나머지 다리에 힘이 풀려 제자리에 풀썩 주저앉고 말았다.

노인은 여전히 나무들 사이에서 모습을 드러내지 않고 이정방에게 말을 걸었다.

"힘들어서 여기서 쉬다 갈 텐가? 허허 그렇다면 쉬다

가 가세나. 쉬면서 내 사연 좀 들어보게."

 노인은 이정방의 의지는 중요하지 않다는 듯 대답도
듣지 않고 혼자 말을 하기 시작했다.

"내 실은 자네가 왔다던 마을 끄트머리에 혼자 살던
심마니였지. 크지는 않지만 마당에는 예쁜 매화나무를
심어놔서 마루에서 매화를 보면서 쉬는 게 내 작은 낙
이었다네. 그런데 어느 날 새벽에 잠을 자는데 밖에서
누가 날 부르는 것이 아니겠는가? 그래서 나가봤더니
웬 청년이 자신이 산신님이 보내서 왔다면서 나에게
산삼의 위치를 알려준다고 그러는 것이 아닌가? 그래
서 냉큼 따라 갔다네. 그러고 한참을 따라가니 글쎄 정
말 산삼이 있었다네 그래서 흥분한 채로 산삼을 고이
캐내고는 그 청년에게 감사인사를 했지. 그랬더니 인사
는 산신님에게 해야 한다면서 나를 또 산신님에게 데
려 가더군. 산신님이라고 데려가더니 웬 커다란 호랑이
가 한 마리 앉아있네? 그 산신이라던 호랑이가 자기가
산삼을 내어주었으니 나보고는 산삼을 캔 개수만큼 팔
다리를 내 놓으라고 그러더군. 그래서 내가 산삼을 여
섯 뿌리를 캤다고 그랬지. 그러니 그 호랑이님이 그럼
팔다리와 몸통 그리고 내 집을 가져가야겠다고 그러더

니 내 팔다리를 찢고 몸통을 씹어 먹었다네. 어떤가 내
사연이? 재미있었나?"

노인을 말을 들은 이정방은 온몸이 떨리기 시작했다.
노인은 말을 마치고 나무들 사이에서 모습을 나타내
이정방에게 천천히 걸어왔다. 노인이 걸어온 나무들 뒤
쪽에서 호랑이 울음소리가 들렸다. 노인은 앉아서 떨고
있는 이정방을 가만히 내려 보고 말을 했다.

"호랑이 산신님이 지금은 자네에게 베푼 것이 없으니
받아갈 것도 없다고 그러시니 그만 돌아가시게. 이렇게
산신님의 길 위에 앉아있지 말고 어서 일어나서 마을
로 가게. 아까 내가 가던 길로 쭉 가면 마을이 나올 걸
세. 다른 길로 가면 산신님이 기다리고 있을 걸세 그러
니 곧장 마을로 가게. 그리고 잊지 마시게 지금 산신님
이 자네에게 목숨을 베풀었다는 것을. 다음에 만나면
갚아야 할 것이야."

노인은 말을 다 하고 나무들 사이로 들어가 사라졌다.
그리고 들리던 호랑이 소리도 점점 멀어지더니 이내
숲은 고요해 졌다. 한참을 자리에 앉아 덜덜 떨던 이정
방은 주위가 밝아지는 것을 보고 정신을 차렸다. 밤사
이에 경험한 일들이 꿈이었는지 아니면 헛것을 본 것

인지 정신을 차리지 못한 채 이정방은 자리에서 일어났다. 이정방은 해가 하늘 가운데로 높이 솟아올랐을 때 마을에 도착했다. 하루 사이에 수척해진 모습으로 나타난 이정방은 멍한 모습으로 서태금의 집으로 향했다. 서태금의 집에 도착한 이정방은 마당에 들어서자 풍겨오는 매화향에 정신이 들었다. 이정방은 마당 한편에 흐드러지게 핀 매화를 바라보고 우두커니 생각에 잠겼다.

14. 제물2

　마당에 한참 생각에 빠진 이정방의 뒤로 서태금이 나타났다. 서태금은 이정방의 뒤로 다가가 이정방의 어깨에 손을　올렸다. 생각에 빠져있던 이정방은 서태금의 행동에 깜짝 놀라 뒤를 돌아보았다. 서태금은 놀란 표정으로 자신을 바라보는 이정방을 보며 싱긋 웃으며 말했다.

　"나리 무슨 생각을 그리 하시기에 제가 뒤에 와도 모르십니까?"

　"아.. 아닐세. 그저 밤새 산을 헤맸더니 피곤해서 그런 것 같네."

　"그러시군요. 밤새 산 속에서 무슨 일 이라도 있었습니까?"

　"아무 일도 없었네. 그저 산 속을 조금 헤맸을 뿐이야."

　"알겠습니다. 그럼 들어가서 쉬시지요. 나리."

　서태금은 이정방을 방으로 안내 한 뒤 밖으로 사라졌

다. 방 안으로 들어온 이정방은 밤새 겪은 일들을 생각하다 잠을 이기지 못 하고 스르륵 잠이 들었다. 밤이 되고 나서야 이정방은 정신을 차리고 일어났다. 이정방은 자리에 일어나 방문을 열고 밖으로 나갔다. 밖으로 나와 마루에 걸터 앉아있던 이정방은 어두워진 하늘을 쳐다보았다. 어두워진 밤하늘이 갑자기 밝아지기 시작했다. 이정방은 불빛의 정체를 찾다 그것이 점점 가까워지는 것을 깨달았다. 잠시 후 노인 박필부와 박수무당을 앞세워 나타난 마을 사람들 손에는 횃불이 들려 있었다. 이내 많은 사람들이 모인 서태금의 집은 많은 횃불들로 인해 낮과 같이 밝아졌다. 사람들이 다 모이자 서태금의 집은 시장통같이 시끄러워졌다. 사람들 앞에 서 있던 박필부가 마루에 앉아있는 이정방을 보고 종들에게 외쳤다.

"저놈을 당장 이리 끌어내라!"

"예! 어르신."

박필부의 명령에 종들이 마루에 있는 이정방에게 위협적인 몸짓으로 다가갔다. 이러한 움직임에 이정방은 정신을 차리고 늘 신체의 일부처럼 품고 다니던 총을 들어 다가오는 몸종에게 겨누며 말했다.

"이게 무슨 짓들이오!"

이정방이 사납게 몸을 일으켜 저항할 기세가 보이자 박필부의 옆에 서 있던 박수무당이 나서서 말했다.

"닥쳐라 이 창귀놈아. 네놈의 정체는 이미 다 밝혀졌다. 얌전히 따라나선다면 좋은 곳으로 천도를 시켜주겠다. 그래도 반항을 하겠다면 네놈이 갈 곳은 지옥뿐이니라!"

"그게 무슨 말 같지도 않은 말을 지껄이는 게요. 내가 창귀라니?"

"허허 이놈이 그래도! 이놈아 네놈이 어제 밤새 산에 있다가 오늘 아침에 왔다는 것을 이 마을 사람이 다 알 것이다. 그리고 어젯밤에는 산에서 호랑이가 우는 소리가 들렸다지? 그렇다면 오늘 네놈이 살아 돌아 왔다면 호랑이를 잡았기에 산 놈일 것이고 아니면 호랑에게 먹힌 창귀일 것이다. 헌데 네놈의 행색을 보니 호랑이를 잡은 것 같지는 않은데!"

"헛소리 하지 마라! 그렇다고 내가 어찌 창귀란 말이냐! 난 도망쳐서 멀쩡히 살아 돌아왔을 뿐이다!"

"오호라. 어제 밤 산속에서 호랑이를 마주치긴 한 모양이구나. 더 들을 것도 없습니다. 이놈이 창귀가 된 것이 확실하니 끌어내야 합니다."

 이정방과 논쟁을 벌이던 박수무당은 박필부를 돌아보며 말을 마쳤다. 두 사람의 논쟁을 지켜보던 박필부는 몸종에게 다시 명령을 했다.

 "뭣들 하느냐! 저놈을 당장 끌어내려라!"

 "예. 어르신!"

 박필부의 명을 들은 종들은 이정방을 에워싸기 시작했다. 몸종들의 흉흉한 기세에 이정방은 손에 든 총을 더욱 쌔게 쥐고는 다가오는 종들에게 겨누었다. 몸종들은 이정방이 겨눈 조총 때문에 쉽게 다가서지는 못 했지만 슬금슬금 한발씩 다가섰다. 이정방은 자신의 위협이 통하지 않자 소리 높여 말했다.

 "제일 먼저 나에게 다가오는 한 놈은 이 총알이 목숨을 빼앗을 것이다. 나 혼자 죽지는 않을 것이야! 한 놈은 꼭 데리고 갈 것이다!"

 이정방의 위협이 통했는지 종들은 서로 눈치만 살필 뿐 더 이상 이정방에게 접근하지 못 했다. 이들의 묘한 대치를 바라보던 박필부는 답답한 마음에 소리를 질렀다.

 "네 이놈들 어서 저놈을 끌어내지 못 할까. 저놈을 제일 먼저 잡는 자에게는 내가 큰 상을 내릴 것이다. 그리고 저놈에게 제일 늦게 달려드는 자는 내가 직접 죽일 것이다!"

박필부의 호통에 종들은 이내 결심이 섰는지 서로 눈빛을 주고받고는 고함을 지르며 일제히 이정방에게 달려들었다. 동시에 달려드는 종들의 움직임에 당황한 이정방은 재빨리 총을 발사했다. 요란한 총소리가 들리고 달려들던 한 사람이 풀썩 쓰러졌다. 하지만 다른 이들은 동요하지 않고 이정방에게 달려들었다. 한 사람이 이정방의 총을 잡아 이정방과 몸싸움을 벌이자 곧이어 도착한 다른 이는 손에 든 몽둥이를 휘둘러 이정방의 오금을 때렸다. 오금을 맞은 이정방은 찌릿한 통증에 무릎이 꺾여 풀썩 쓰러졌다. 피 냄새와 화약 냄새에 흥분한 종들은 쓰러진 이정방을 둘러싸고 정신없이 두들겨 패기 시작했다. 한참을 두들겨 맞던 이정방은 아득한 고통에 정신을 잃어갔다. 이미 흥분한 종들은 이정방이 힘이 빠져 최소한의 저항도 못 하게 되어도 폭력은 한참을 이어졌다. 이 모습을 지켜보던 박필부가 종들에게 소리쳤다.

"이제 그만 멈추어라! 여기서 죽이면 안 된다. 굿을

해서 태워 죽여야 한다."

"헉. 헉. 예. 어르신."

종들은 숨이 차 쇳소리 같은 목소리로 박필부에게 대답했다. 숨을 고른 종들은 쓰러진 이정방의 양 팔을 잡고 일으켜 끌고 갔다. 박필부와 박수무당이 앞장을 서 마을 광장으로 걸어가자 몸종은 이정방을 끌고 그 뒤를 따랐다. 구경을 하고 있던 마을 사람들은 좌우로 갈라지며 길을 터주었다. 이정방이 지나갈 때 마을사람들은 저마다 침을 뱉고 욕지거리를 했다. 박필부의 무리가 지나가고 난 뒤 마을 사람들은 그들을 따라 마을 광장에 모이기 시작했다.

15. 창귀의 정체

　서태금은 이정방이 박필부의 종들에게 몰매 맞는 것을 숨어서 지켜보고 있었다. 이내 이정방이 끌려 나가자 서태금은 조심스럽게 그 뒤를 따라갔다. 서태금이 마을 광장에 도착하자 저번과 비슷한 풍경이 펼쳐져 있었다. 서태금은 구경하는 사람들 사이에 몸을 숨겼다. 몰매를 맞아 얼굴에서 피가 흐르는 이정방은 나무기둥에 묶여 있었다. 나무기둥 앞에는 사람들이 분주하게 제사상을 차리고 있었다. 제사상이 얼추 차려지자 박수무당이 나서 큰 소리로 말을 했다.

　"자자 다들 보시오. 여기 이 마을에 혼란을 몰고 온 이 창귀놈을 잡아왔소. 이 놈을 천도 시키고 나면 이 마을에 평화가 찾아올 것이오."

　박수무당의 외침에 마을 사람들은 마을에 우환이 사라질 거라는 기대로 흥분한 채 저마다 웅성거렸다. 마을 사람들은 기둥에 묶인 채 죽어가는 자가 사람인지 창귀인지는 이미 중요하지 않게 되었다. 마을이 평안해

지고 나아가 자신들의 안위가 평안해 진다는 생각에 굿판은 마치 축제처럼 느껴졌다. 그동안의 근심과 공포가 사라진 사람들은 한껏 들뜬 채로 어서 빨리 기둥에 불을 질러 이 굿판을 끝내고 싶었다. 그런 사람들의 마음을 눈치 챈 박필부는 박수무당에게 재촉하는 투로 말했다.

"이제 어서 빨리 마무리를 지으시게. 우리 마을도 이제 일상으로 돌아가야 하지 않겠나. 사람들이 그동안 무서워서 일도 제대로 하지 못했다네."

"예. 어르신 알겠습니다. 그럼 어서 굿을 진행하도록 하지요."

박수무당은 사람들의 관심을 받으며 굿을 진행하기 시작했다. 시끄러운 꽹과리 소리와 북소리가 마을에 울려 퍼지자 정신을 잃었던 이정방이 눈을 뜨고 고개를 들어 몸부림을 쳤다. 이정방은 나무기둥에 묶인 몸을 이리저리 뒤틀려 빠져나오려 했지만 몸을 감고 있던 밧줄이 쪼여 상처만 깊어질 뿐이었다. 이정방은 몸부림 치는 것을 포기하고 있는 힘껏 소리를 쳤다.

"이보시오! 나는 창귀가 아니오! 내 말 좀 들어보시오. 나는 창귀가 누군지 알고 있소."

이정방의 외침은 시끄러운 굿판의 소리에 묻혀 사람들의 이목을 끌지 못했다. 하지만 이정방은 포기하지 않고 소리를 꽥꽥 질러대며 악을 쓰고 계속 말했다. 신명나게 굿을 하던 박수무당은 장단 사이에 잡소리가 들리자 집중하지 못 하고 이정방에게 시선을 주었다. 애써 무시하며 굿을 이어나가려던 박수무당은 포기하지 않고 소리를 질러대는 이정방에게 어쩔 수 없다는 듯 굿을 멈추고 다가섰다.

"네 이놈! 신성한 굿판에 무슨 행패를 부리느냐! 조금만 기다리거라 내가 너를 좋은 곳으로 보내줄 터이니."

"난 창귀가 아니오! 착각을 하셨소! 내 진짜 창귀가 누군지 알고 있으니 그놈을 잡으시오!"

"허허 이놈이. 어디서 간사한 혓바닥을 놀리느냐. 사람을 현혹하려 들다니 아직 정신을 못 차렸구나!"

"아니오! 내 말좀 들어주시오. 나도 창귀에게 속은 것이니. 제발 좀 내 말좀 들어 보시오."

이정방은 입 안에서 피가 나오는 것도 신경 쓰지 않고 피를 튀겨가며 말했다. 이것만이 자신이 살 길인 것을 알고 있기에 절박하게 계속 말을 했다. 박수무당은 이정방이 피거품을 물어가며 말을 하는 것을 보며 슬며시 박필부의 눈치를 살폈다. 박수무당은 어쩌면 이정방이 밀고한 창귀를 잡아 또 한몫을 챙길 수 있지 않을까 생각했다. 박수무당은 이정방의 말을 들어 봐야겠다고 생각하며 굿판을 구경하던 박필부에게 다가가 말했다.

"어르신. 저놈이 할 말이 있는가 봅니다. 자신이 또 다른 창귀를 안다고 하는데 한번 들어보는 것이 어떻겠습니까?"

"호오. 그렇다면 어디 한번 들어봐야지. 이 마을의 우환은 다 뽑아내야 할 것이야."

"예. 어르신 그럼 한번 들어보시지요."

대화를 마친 두 사람은 나무기둥에 묶인 이정방에게 다가갔다. 이정방은 악을 쓰는 바람에 힘이 빠져 큰 소리를 낼 수가 없었지만 자신의 마지막 희망이 될지도 모르기에 애써 힘을 끌어내 입을 열었다. 하지만 바람 빠지는 쇳소리만 날 뿐이었다. 박수무당과 박필부는 어쩔 수 없이 이정방의 목소리를 듣기 위해 가까이 다가섰다.

"이보시오. 영감님. 마을에 첫 호환이 생겼던 그 집에 누가 살고 있었소?"

"허허. 그 집에는 심마니와 그의 아들인 서태금이 살고 있었지. 그걸 왜 물어보는 것이냐?"

"잘 생각해보십시오. 그 집에 정말 두 명이 살고 있었습니까?"

"허허. 나를 놀리는 것이냐? 그 집에는 산에서 약초나 캐며 살던 김씨노인과 그 아들놈이 살았네. 무슨 말을 하고 싶은 것이냐!"

"영감님 김씨노인에게 서씨성을 가진 아들이 있다는 게 정말 확실한겁니까?"

가만히 생각을 하던 박필부는 자신의 기억에 혼란이 생겼다. 박필부 자신은 나름 이 마을주민의 집안 숟가락 개수 까지 다 알정도로 이 마을에서 모르는 것이 없었다. 하지만 곰곰이 생각하니 서태금이란 청년은 이 마을에서 처음 본다는 것을 깨달았다.

"이..이게 무슨 일인가? 서태금이란 자는 우리 마을에 없었던 자인데. 어찌 내가 서태금을 그 집 아들로 기억을 하고 있는 것인가?"

혼란스러워 하는 박필부를 보며 박수무당은 당황했다. 그리고 이정방을 보며 그게 무슨 말인지 다그쳐 물었다.

"그게 무슨 말이냐. 서태금이란 자가 창귀라는 말이냐?"

"그렇소. 서태금이 창귀요. 무슨 요망한 술수를 썼는지는 모르겠지만 우리 모두 그놈에게 홀렸단 말이오."

이정방의 말을 들은 박수무당은 당황한 표정을 숨길 수 없을 정도로 일그러졌다. 눈에 띄게 당황한 박수무당을 본 박필부는 의아한 표정으로 말을 걸었다.

"자네 무슨 문제라도 있는가? 왜 그렇게 당황하고 그러나? 이럴 때가 아니라 그 서태금을 잡아야 하지 않겠나. 자네라면 충분히 그럴 수 있을 테지?"

"예..옙. 저만 믿으시지요. 저한텐 한낱 잡귀일 뿐이니 제가 다 알아서 하겠습니다."

박필부와 박수무당의 대화를 듣고 있던 이정방은 고통으로 찡그리고 있던 표정으로 두 사람에게 재촉하며 말했다.

"자 그럼 어서 나를 풀어주시오. 나는 창귀가 아니라 서태금이 창귀인 것이 명백하게 밝혀지지 않았소!"

이정방의 말에 박필부와 박수무당은 서로를 바라보며 눈빛을 교환했다. 그리고 박필부는 이정방의 앞에 나서며 말을 했다.

"서태금이 창귀라고 해서 자네가 창귀가 아니라는 것이 증명이 되었는가? 굿은 계속 진행 될 것이네. 굿이 끝나고 나면 명확하게 밝혀지겠지."

"아니! 그런 법이 어디에 있소! 난 창귀가 아니오. 오히려 창귀가 누군지 알려주지 않았소!"

이정방의 절규에도 박필부와 박수무당은 아랑곳 하지 않고 뒤로 돌아 이정방에게 멀어졌다. 박수무당은 다시 굿을 하기 시작했고 박필부는 자신의 종들을 불러 모와 무언가 지시를 내렸다. 박필부의 지시를 받은 종들은 사방으로 흩어져 군중들 사이로 사라졌다.

16. 탈출

 박수무당이 멈춰진 굿으로 인해 어수선 해진 장내를 진정시킨 뒤 다시 굿판을 벌였다. 다시 시끄러운 북소리와 꽹과리 소리가 울려 퍼지고 박수무당은 신명나게 춤을 추었다. 하지만 박수무당은 굿판보단 서태금이 창귀라는 사실에 신경이 쏠려 있었다. 박수부당이 굿판에 집중을 못하는 탓인지 굿판을 구경하는 마을사람들도 이전처럼 호응을 하지 않았다. 일부 몇몇 사람들은 나무기둥에 묶인 이정방을 안쓰럽게 바라보기도 했다. 처음엔 작은 숫자의 사람들의 의심이었지만 곧 그 의심은 불처럼 퍼져나갔다. 마을사람들이 동요하기 시작하자 굿판을 둘러싼 분위기는 다시 어수선해졌다. 그때 마을사람들이 동요하는 것을 알아차린 박필부가 마을사람들에게 외쳤다.

 "다들 동요하지 말게나. 이 굿판이 끝나면 우리 마을은 다시 평화로워 질것이야!"

 "어르신. 정말 저 사냥꾼이 창귀가 맞는 것입니까?

아무리 봐도 아닌 것 같아서 말입니다."

박필부가 마을사람들에게 말할 때 한 젊은 남성이 박필부에게 의문을 표했다. 그 젊은 남성의 말에 그에게 동조하는 사람들이 저마다의 말을 쏟아내며 장내는 혼란이 가득 퍼져나갔다. 굿판의 시끄러운 소리는 더 이상 사람들에게 들리지 않게 되었다. 이런 혼란스러운 상황에서 누군가 은밀히 이정방이 묶여있는 나무기둥 뒤쪽으로 접근했다. 그리고 이정방의 기둥 뒤에 묶여있는 밧줄을 재빠르게 끊어내고 사라졌다. 이정방은 자신을 속박하고 있던 밧줄이 흘러내리자 힘없이 제자리에 풀썩 쓰러졌다. 쓰러져 있던 이정방은 곧 정신을 차리고 주위를 살폈다. 박필부와 박수무당은 마을사람들에게 둘러싸여 이정방이 속박을 벗어난 것을 알아차리지 못 했다. 이정방을 힘겹게 몸을 일으켜 조심스럽게 도망가기 시작했다. 이정방은 사람들이 모여 있는 곳을 벗어나자 온 힘을 다해 잘 움직이지 않는 다리를 옮겨 마을을 벗어나 산속으로 들어갔다. 그저 이 마을을 벗어나는 것이 자신이 살 수 있는 유일한 방법이라고 생각 한 이정방은 다친 몸을 이끌고 산 속 깊이 도망갔다. 이정방이 사라지고 조금의 시간이 흐른 뒤 사람들 사이에 있던 박수무당이 굿판을 흘긋 쳐다보다 이정방이 사라진 것을 알아차렸다.

"앗. 이정방이 사라졌다. 창귀놈이 술수를 부려서 도망갔다. 자자 다들 이걸 보고도 못 믿겠습니까?"

박수무당의 외침에 서로 큰 소리를 내던 사람들은 입을 다물고 이정방이 묶여있던 나무기둥을 쳐다봤다. 마을사람들이 입을 다물자 박필부는 기회를 놓치지 않고 사람들에게 목소리를 높이며 말했다.

"지금 우리끼리 논쟁을 할 때가 아니라는 것을 모르겠는가! 이정방이 창귀든 사람이든 일단 있어야지 밝혀지는 것이 아니겠는가? 이정방이 더 멀리 달아나기 전에 어서 쫓아야하네. 이건 다들 이견이 없겠지?"

박필부는 말을 하고 난 뒤 마을사람들의 눈치를 살폈다. 마을사람들은 박필부의 말에 그저 서로 눈치만 볼 뿐 아무도 대답하지 않았다. 박필부는 그 모습을 보고 조소를 지으며 종들에게 말했다.

"여봐라 어서 빨리 이정방이를 잡아 오거라. 멀리 가지는 못 했을 것이야!"

"예 어르신!"

박필부의 종들은 힘차게 대답하고 곧바로 이정방의

흔적을 찾기 위해 흩어졌다. 한편 산 속으로 도망친 이 정방은 다친 몸으로 무리한 움직임으로 이미 기력이 다 빠져 더 이상 움직이지 못 할 지경에 이르렀다. 잠시 나무에 몸을 기대고 숨을 고르고 있던 이정방은 산 아래에서 불빛과 함께 소리가 들리자 이를 물고 일어나 다시 몸을 움직였다.

17. 서태금

 도망을 치던 이정방은 산 위에서 인기척이 나자 깜짝
놀라 고개를 들어 위를 쳐다보았다. 고개를 들어 쳐다
본 곳에는 서태금이 이정방을 내려다보며 활짝 웃고
있었다. 이정방과 눈이 마주친 서태금은 입을 활짝 웃
은채 이정방에게 말했다.

 "나리 어딜 그리 급히 가시는 겁니까? 저를 도와 호
랑이를 잡으셔야지요."

 "자..자네가 왜 거기서 내려오는 건가? 내 급한 일이
생겨서 그러니 다음에 다시 찾아오겠네. 한시가 급하니
난 이만 가보겠네."

 생각하지도 못한 곳에서 서태금을 마주친 이정방은
당황했다. 이정방은 말을 끝마치고는 서태금과 눈이 마
주칠까 두려워 고개도 들지 못하고 서태금을 지나쳐
갔다. 이정방은 혹시나 지나가는 자신을 잡을까 두려운
마음에 다친 것을 잊고 젖 먹던 힘까지 내어 달려 나
갔다. 하지만 서태금은 그저 지나가는 이정방에게 길을

비켜주며 묘한 웃음으로 쳐다 볼 뿐이었다. 서태금을 지나친 이정방은 정신없이 산 위를 달려 나갔다. 내리막에서는 거의 구르며 내려갔고 오르막에서는 짐승처럼 기어서 네발로 올라갔다. 한참을 산길을 달리던 이정방은 자신이 어디에 있는지 조차 잊었다. 자신이 산속에서 길을 잃었다는 것을 알게 된 것은 이미 오래전에 알았지만 움직임을 멈출 수는 없었다. 지친 몸을 잠시라도 멈추고 휴식을 취하려 하면 어느새 나무 사이에서 자신을 바라보며 웃고 있는 서태금을 발견하고는 이정방은 멈출 수가 없었다. 하지만 이정방은 다친 몸이었고 오랜 시간을 움직였기에 한계가 왔다. 이정방은 숨을 쉴 때마다 입에서 쇠 맛이 올라왔고 다리는 진흙속에 빠진 듯 움직이지 않았다. 이정방의 몸에는 한계가 왔지만 정신은 공포에 의해 몸을 끊임없이 움직이라고 채찍을 휘두르며 재촉했지만 움직이지 않는 다리로 인해 상체가 기울어 고꾸라지고 말았다. 그렇게 산비탈에서 넘어진 이정방은 마치 돌처럼 구르며 밑으로 내려갔다. 이정방은 더 이상 몸을 움직일 수가 없어 누운 채로 거친 숨을 내뿜으며 별이 쏟아질듯한 밤하늘을 멍하니 바라보았다. 이정방이 하늘을 바라보고 있을 때 서태금이 이정방과 밤하늘 사이를 불청객처럼 고개를 쑥 내밀어 이정방을 쳐다보았다. 서태금은 허연 이를 드러내며 웃으며 이정방에게 말했다.

"나리 어딜 그리 급히 가시는 겁니까? 저를 도와 호랑이를 잡으셔야지요."

서태금이 이정방에게 말을 걸었지만 이정방은 그저 정신이 나간 사람처럼 멍하니 서태금을 바라만 보고 있었다. 이정방이 대답이 없자 서태금은 다시 입을 열어 이정방에게 말했다.

"나리 어딜 그리 급히 가시는 겁니까? 저를 도와 호랑이를 잡으셔야지요."

"헉..헉 이럴 리 없다. 내가 지금 헛것이 보이는 거야. 정신을 차려야 한다."

이정방은 서태금이 자신이 만들어낸 환각이라고 생각했다. 이정방은 자신의 상식으로는 이 마을에서 경험한 모든 것이 이해가 되지 않았다. 자신이 이해하지 못하는 일을 이해하려 한다면 정신이 나갈 것 같았기에 이정방은 애써 모든 것을 부정하려고 했다. 그때 서태금이 다시 이정방에게 말을 걸었다.

"나리 어딜 그리 급히 가십니까? 저를 도와서 호랑이

를 잡아 주신다 하지 않으셨습니까? 이리 가시면 저는 어찌하라고 그러십니까."

"네놈 정체가 무엇이냐. 사람이 맞는 것이냐 아니면 내가 헛것을 보는 것이냐."

"하하하. 나리 잘 알고 계시면서 모른 척 하시는 겁니까? 아까 마을에서 저를 창귀라고 하지 않으셨습니까? 잘 알고 계시면서 나리도 참 짓궂습니다."

"정녕 자네가 창귀란 말인가? 나는 그저 넘겨짚은 것뿐일세. 정말 창귀라는 것이 있다는 말인가?"

"지금 나리 앞에 있지 않습니까? 이리 직접 보시고도 못 믿겠습니까?"

"그런 것인가.. 허면 어찌 나를 이리 희롱하는 것이냐. 어서 호랑이를 불러 나를 먹이로 받치지 않고? 나는 더 이상 움직일 힘이 없으니 네놈 뜻대로 하거라."

"하하하. 저는 호랑이에게 나리를 먹이지 않을 겁니다. 저 마을에 먹을 것들이 많이 있는데 굳이 나리를 먹지 않아도 배가 고플 일은 없습니다."

"그럼 대체 나에게 무엇을 바라기에 이런단 말이냐!"

"저는 그저 나리가 정의로운 사람이기에 살려 드렸을 뿐입니다. 마을에서도 제가 줄을 끊어서 살려드리지 않앉습니까?"

"그렇다면 어찌 나를 쫓아 다니며 웃고 있었느냐. 날 우롱하는 것이냐."

"아닙니다. 나리. 전 그저 나리가 무사히 잘 가는지 살폈을 뿐입니다. 그런데 나리께선 밤새 산 속에서 같은 길을 돌고 돌 길래 그 모습이 조금 우스워 웃고 있었을 뿐입니다. 하하하하. 그렇게 제가 의심스럽다면 저는 이만 사라져 드리지요. 그럼 나리 부디 만수무강하십시오. 하하하."

서태금은 이정방에게 웃음을 보인 뒤 나무들 사이로 스르륵 사라졌다. 이정방은 서태금의 마지막 말에 의심이 들어 힘겹게 몸을 일으켜 주위를 살폈다. 주위를 살피던 이정방은 이곳이 익숙한 곳이라는 것을 눈치 챘다. 누워서 서태금과 대화를 하고 있을 땐 모르고 있었지만 가만히 살펴보니 주위에 돌무덤들이 보였다. 이곳이 저번에 서태금과 같이 왔었던 호식총이 모여 있는 곳이라는 것을 깨달은 이정방은 서둘러 자리를 피하려고 몸을 일으켰다. 몸을 힘겹게 일으키고 걸음을 옮기려 할 때 가까운 곳에서 불빛과 함께 사람들이 나타났다.

"여기다. 여기 이정방이 있다."

횃불을 든 누군가의 외침과 함께 호각소리가 어두운 산 속에서 울려 퍼졌다. 이정방은 얼른 몸을 돌려 달아나려 했다. 이정방은 몇 걸음을 뗀 뒤 자신의 몸으론 도망가지 못 할 것이라는 것을 깨달았다. 이정방은 자신이 호식총 근처에 호랑이를 잡기 위해 벼락틀이라는 덫을 설치한 것을 기억해냈다. 그것을 이용하면 어쩌면 사람들을 따돌릴 수 있을 것이라 생각한 이정방은 기억을 더듬어 그곳으로 향했다. 이정방은 어렵지 않게 벼락틀을 찾아냈지만 그 덫은 이미 그 기능을 상실한 채 파괴돼 있었다. 마지막 희망을 놓친 이정방은 도망갈 생각을 못 하고 망연자실 하게 제자리에 묶인 듯 서 있었다. 이정방을 찾던 마을 사람들은 도망갈 의지를 상실한 이정방을 쉽게 찾을 수 있었다. 이정방을 찾은 사람들은 곧바로 이정방의 주위로 몰려들었다. 마을 사람들이 모여들자 그 일대는 횃불에 의해 낮처럼 밝아졌다. 이정방을 사로잡은 사람들은 이정방을 사냥한 짐승처럼 거침없이 몸을 결박한 채 마을로 끌고 갔다.

18. 분사

 사람들에 의해 끌려온 이정방은 다시 마을 광장 나무 기둥에 묶인 신세가 됐다. 이정방은 자신의 처지를 체념한 것인지 조금의 저항도 하지 않았다. 마을 사람들 중 누구는 기둥에 묶여있는 이정방을 노려보다 저마다 욕지거리를 하였고 또 누구는 돌을 던져댔다. 박필부는 마을 사람들이 흥분한 채 이정방을 유린하는 것을 가만히 지켜보다 사람들의 눈빛에 광기가 돌자 사람들을 제지하며 앞으로 나섰다.

 "자자 다들 일단 흥분을 가라앉히시게. 내 잠시 저놈과 대화를 해야겠으니 뒤로 물러 서 있게나."

 박필부의 외침을 들은 마을 사람들은 한순간에 행동을 멈추며 한 명도 빠짐없이 박필부의 말을 따랐다. 마을 사람들은 이제 박필부의 명령에 조금의 저항도 없이 따를 준비가 되어 있었다. 박필부는 그런 마을 사람들의 모습을 미소를 지으며 바라보다 이정방에게 다가갔다.

"이봐 이정방이. 이제 네놈이 창귀가 아니라는 것을 우기는 걸 포기 하셨는가?"

"나는 창귀가 아니오. 그저 서태금에게 놀아난 것이란 말이오. 나도 당신들도 다 서태금에게 놀아나고 있소."

"그래. 그 서태금이 왜 안 나오나 했지. 걱정 말게 그 서태금도 지금 박수무당이 사람들을 이끌고 찾고 있으니 곧 네놈 옆에 나란히 묶일 것이야. 그때 서태금과 네놈 둘다 처리할 것이니 조금 기다리고 있게나. 끌끌."

박필부와 이정방이 대화를 하고 있을 때 한 사람이 모여 있는 마을 사람들 사이를 헤치고 박필부를 찾았다.

"어르신. 어르신. 큰 일 났습니다요."

"무슨 일이냐! 네놈은 무당과 같이 갔던 놈 아니냐. 무당놈은 어디가고? 서태금은 잡은 것이냐?"

"어르신. 그 박수무당이란 작자가 산에서 우리를 따돌리고 도망갔습니다요."

"뭐라? 이놈 목소리를 낮춰라. 도망간 것이 확실한 것이냐? 혹 호랑이에게 물려간 건 아니고?"

"아. 아닙니다. 어르신. 그 작자가 정신없이 뛰어서 도망가는 것을 이 두 눈으로 똑똑히 봤습니다요. 어찌나 빠르던지 뒤 쫓다가 놓쳐서 그만 어르신께 보고를 드리려 온 것입니다요."

"허허. 이 선무당놈이! 이 일이 끝나면 그 무당놈도 대가를 치러야 할 것이다. 일단 무당과 같이 갔던 놈들을 다시 다 불러 오거라."

"예 어르신. 다녀오겠습니다."

박필부는 대화를 마친 뒤 분노로 얼굴이 빨개졌다. 이정방은 묶인 채 그 모습을 바라보다 입가에 비웃음을 띄고는 말했다.

"뭔가 일이 잘 안 풀린 모양입니다."

"닥쳐라. 네놈이 죽을 것이라는 건 바뀌지 않는다."

박필부가 이정방에게 화를 내며 말을 하고 있을 때. 갑자기 마을 밖에서 호랑이가 큰 소리로 울부짖는 소리가 들렸다. 사람들에 하여금 공포를 불러일으키는 그 소리는 마을로 점점 가까워 졌다. 이 소리로 인해 모여 있던 마을 사람들은 공포에 휩싸였고 그것은 곧 이성을 마비시켰다. 마을 사람들은 공포로 인해 자신의 방패가 되어 줄 한 사람에게 의지하기 위해 말을 걸었다.

"어. 어르신. 마을 밖에 호랑이가 나타난 것 같습니다.

이를 어찌합니까?"

"너무 두려워하지 마라! 아무리 호랑이라도 저놈 혼자선 이 많은 사람들에게 쉽게 달려들지는 못 할 것이다."

박필부의 말이 끝나기 무섭게 마을 밖 곳곳에서 호랑이의 포효소리가 들려왔다. 마치 사방에서 몰려오는 듯한 소리에 사람들은 점점 더 공포에 질려 몸을 부들부들 떨었고 어떤 이는 오줌을 지리고 바닥에 주저앉았다. 마을 사람들이 공포와 혼란에 빠져 아우성치며 서로 밀치고 부딪히며 도망가려는 이가 나오자 박필부는 큰 소리로 호통을 쳤다.

"다들 진정해라! 여기서 도망가는 놈은 내 가만두지 않을 것이야. 호랑이가 이렇게 무리지어 다니는 짐승은 아니다. 이건 누군가가 장난을 치는 것이 분명하다."

박필부의 말을 들은 사람들 중 몇 몇은 곧 이성을 되찾았다. 간신히 정신을 차린 한 사람이 박필부의 말에 호응 하며 말했다.

"맞. 맞습니다. 이건 창귀가 장난을 치는 것이 분명합니다. 저 이정방이란 놈이 무슨 술수를 부린 것이 확실합니다. 저놈을 당장 불 질러 버립시다."

한 사람의 외침에 공포에 질려있던 다른 사람들은 자신들의 공포를 해소해줄 탈출구를 찾은 듯 했다. 사람들은 저마다 맞다는 듯 호응을 하며 이정방에게 다가갔다. 이정방 앞에 서있던 박필부는 이 분위기가 쉽게 진정되지 않을 것을 알았기에 그 자리를 얼른 피해버렸다. 이정방은 죽음이 막상 닥쳐오자 필사적으로 몸을 흔들며 저항했지만 그것은 자신을 점점 더 조여왔을 뿐이었다. 사람들이 이정방에게 횃불을 던지고 불을 붙이자 이정방의 발부터 살이 타들어가며 매캐한 냄새를 풍겨왔다. 이정방은 살이 타들어가는 고통에 비명을 지르며 악을 썼다. 이정방은 자신의 마지막이 될 말을 뱃속에서부터 끓는 듯 외쳤다.

"나는 이렇게 억울하게 불타 죽지만 네놈들은 모두 한 놈씩 호랑이에게 생살이 뜯어 먹히며 산 채로 씹어 먹혀 죽을 것이다. 내 네놈들이 그렇게 찾던 창귀가 되어 네놈들 모두를 호랑이 아가리 속으로 집어 던질 것이야. 끄아아아"

이정방의 처절함 외침은 곧 불길이 치솟아 그 속에 묻혔다. 이정방이 불에 타 잿더미 속으로 사라진 뒤에는 고약한 탄내만이 그 흔적을 말해줄 뿐이었다.

19. 호식

 사람들은 자신들을 공포에 몰아넣었던 원인이 사라졌다고 생각하며 안심하고 있었다. 그렇게 사람들이 이성을 되찾아 갈 때 마을 입구에서 부터 한 사람의 모습이 나타나 사람들을 향해 다가왔다. 박필부는 그 사람이 자신의 명령을 받고 나간 몸종이라고 생각하고 말을 했다.

 "네 이놈 내가 명한 것이 있는데 어찌 혼자 오는 것이냐. 다른 사람들은 다 어디 있느냐."

 박필부의 말을 들은 그는 잠깐 멈칫 하더니 잠시 제자리에서 주섬주섬 뒤에 지고 있는 것을 꺼낸 뒤 박필부와 사람들을 향해 던졌다. 커다란 항아리 같은 것이 포물선을 그리며 날아와 박필부의 발 앞에 떨어져 데굴데굴 굴러왔다. 그것의 정체를 확인한 사람들은 눈을 커다랗게 부릅뜨며 숨을 헉 하고 들이켰다. 그것의 정체는 사람의 머리였다. 그것도 자신들이 잘 아는 박수무당의 머리였다. 그것을 본 박필부는 다리에 힘이 풀려 제자리에 털썩 주저앉았다. 그 모습을 보며 서 있던 머리를 던진 그 사람은 다시 뒷짐을 풀어 무언가를 찾는지 뒤적이다 말을 했다.

"하하. 네놈이 찾던 놈이 이놈인가 저놈인가? 내 찾질 못 하겠으니 당신이 와서 좀 찾아가는게 어떻겠습니까?"

말을 하며 점점 더 사람들에게 가까이 다가서던 이는 곧 불빛이 닿는데 까지 와 그 정체를 드러냈다. 서태금은 등 뒤에 망태를 메고 옷에는 핏물이 잔뜩 묻었고 등 뒤의 묵직하게 쳐진 망태에는 피가 뚝뚝 떨어지고 있었다. 서태금 이라는 것을 알게 된 사람들은 다시 공포에 휩싸이며 동요하기 시작했다. 박필부는 후들거리는 다리에 힘을 주고 일어나 서태금에게 떨리는 목소리로 호통을 쳤다.

"네 이놈! 네놈 정체가 무엇이냐. 네놈이 무엇이던 감히 사람들을 이리 홀리는 것이냐!"

"하하하. 내 정체는 잘 알고 있지 않습니까? 저기 타죽은 사냥꾼 나리가 나에 대해 말 해준 것으로 알고 있습니다만?"

"네놈. 원하는 것이 무엇이냐! 우리 마을에 무슨 원한

이 있기에 이러는 것이냐!"

"원한? 그런 것은 없습니다. 그저 배가 고플 뿐이지. 호랑이가 배가 고파 먹이를 먹는 그런 이치인 것이지요. 제가 이산 저산 돌아다니며 호랑이들을 모으느라 고생 좀 했습니다. 나리. 하하하."

"도대체 왜 이러는 것이오. 부디 자비를 베풀어 주시오."

박필부는 서태금에게 무릎을 꿇으며 빌기 시작했다. 그러자 마을사람들도 하나 둘씩 무릎을 꿇더니 이내 모든 사람들이 바닥에 머리를 박고 울부짖으며 빌기 시작했다. 그 모습을 바라보던 서태금은 조금 쓸쓸한 어조로 말했다.

"하하. 이런 모습으로 나타나야 나를 봐주는 건가. 사람들은 호랑이에게 잡아먹힌 사람은 창귀가 된다 하여 그 혼을 돌무덤 안에 가둬두고는 아무도 찾지도 제사도 지내지 않는다. 그리고 그 사람의 가족과는 상종을 하지 않으며 따돌리지. 그것 참 억울한 일이 아닌가? 호랑이한테 먹힌 것도 억울하고 원통한데 사람들은 그 것을 가여워 하지 않고 오히려 피해를 본 사람을 멸시하고 따돌린다는 것인가? 피해를 받은 사람은 난데 왜 그걸 자신들이 피해를 본 것처럼 하는 것인가 말이야. 이거야 원귀가 되지 않고는 베길 일인가 말이야. 하하하하."

엎드려 빌고 있던 박필부는 그런 서태금의 자조 섞인 혼잣말을 듣고서 대답했다.

"이. 이제부터는 꼬박 제사도 지내고 찾아가서 무덤 주위도 정리할 테니 이번 한번만 살려주시게. 우리가 다 잘못 했소. 모두 우리가 어리석고 무지해서 그런 것이니 부디 살려주시오."

"내 마음이 약해 그러고 싶지만 내가 은혜를 모르는 놈이 아니라서 그것은 어렵겠습니다. 나를 도와준다고 나섰던 이정방 나리께서 죽기 전에 했던 말을 내가 이뤄 드려야 은혜를 갚은 것이 되지 않겠습니까? 하하하하"

"그. 그런 말이 어디에 있느냐 이놈!"

박필부는 자신의 말이 통하지 않자 분노가 일었다. 하지만 곧 자신의 처지를 깨닫고 두려움에 몸이 부들부들 떨었다.

"자자 진정들 하십시오. 당장에 호랑이가 이 마을을 덮치진 않을 것입니다. 오늘 밤은 다들 배불리 먹었으니 당분간은 좀 소화를 시켜야겠지요. 그러니 잠깐이라도 편하게 발 뻗고 주무시고 계십시오. 다시 배가 고프면 그때 내려 올테니. 하하하. 아 그리고 다들 이 마을을 벗어나면 그곳에 호랑이가 아가리를 벌리고 기다리고 있을 것이니 벗어나지 않는 것이 좋을 겁니다. 그럼 다음에 호랑이가 배가 고파지면 봅시다. 다들 식사는 잘 챙기시고 편하게 지내고 계십시오. 저는 오늘 물러가겠습니다."

서태금은 말을 마치고 뒤를 돌아 마을 밖으로 사라졌다. 박필부와 마을 사람들은 서태금이 사라지는 것을 멍하니 바라보다 그가 남긴 말을 깨닫고 공포에 미쳐서 목 놓아 울부짖었다. 밤새 사람들의 몸을 떨게 만들었던 호랑이 소리는 사라졌지만 마을에 공포만은 여전히 남아있었다.   -끝-

호랑이 부름

지은이 : 주성민
펴낸이 : 이제현
발행일 : 2024년 1월 11일
ISBN : 979-11-93256-16-9(03810)

펴낸곳 : 잇스토리
마케팅 : 매드플랙션
출판신고 : 제 2023-000021호
이메일 : it-story@b-camp.net

잇스토리는 영상 IP 전문 프러덕션입니다.
영화/드라마와 소설의 경계선에서 이야기를 찾아가고 있습니다.
문을 두드려 주세요. 문의와 제안은 언제나 즐겁습니다.

홈페이지 : http://itsastory.modoo.at
인스타그램 : http://instagram.com/it_story.kr
블로그 : http://blog.naver.com/it-story